LA CHEVAUCHÉE SAUVAGE

COMTÉ DE BRIDGEWATER - LIVRE 1

VANESSA VALE

ISBN: 978-1-7959-0072-0

Conception de la couverture : Bridger Media

Création graphique : Period Images

OBTENEZ UN LIVRE GRATUIT !

ABONNEZ-VOUS À MA LISTE DE DIFFUSION POUR ÊTRE LE PREMIER À CONNAÎTRE LES NOUVEAUTÉS, LES LIVRES GRATUITS, LES PROMOTIONS ET AUTRES INFORMATIONS DE L'AUTEUR. ET OBTENEZ UN LIVRE GRATUIT LORS DE VOTRE INSCRIPTION !

livresromance.com

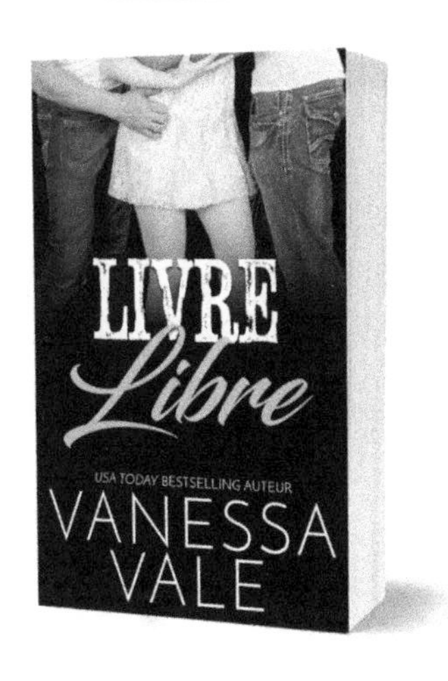

PROLOGUE

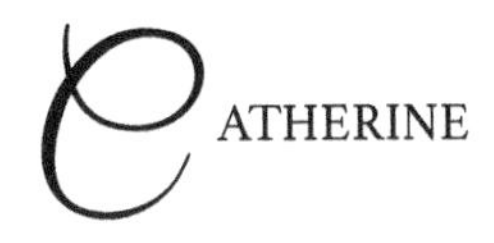

CATHERINE

LE COULOIR ÉTAIT SOMBRE, les pulsations de la musique résonnaient à travers le mur dans mon dos et il me tenait là, coincée entre le mur en plâtre et son corps chaud et musclé. Ses lèvres étaient dures et dominantes, je ne pouvais que me soumettre, même si je cherchais à échapper à son emprise. C'était le seul homme que j'avais à la fois tout autant envie d'éventrer avec mon talon-aiguille que de baiser.

« Ne bouge pas ». Il me poussa en avant, son corps ferme me clouant au mur et sa queue dure comme de la pierre était une tentation que je ne pouvais ignorer alors que je plaquais mes hanches contre lui, essayant de me rapprocher. Mon Dieu, oui. Encore.

« Est-ce que ces conneries machistes marchent avec toutes les filles ? »

« Ta chatte est trempée et humide, poupée. Ne dis pas le contraire ».

Ses yeux noirs rencontrèrent les miens et le regard que je lui lançais aurait dû faire rétrécir ses couilles. Au lieu de cela, il sourit et je jure que j'ai à ce moment-là ressenti les pulsations de sa queue. « N'y pense plus, poupée. Chaque pensée dans ta tête. Ton boulot. Ta vie. Tout sauf ma bite contre toi. Oublie-les avant que je ne te donne une fessée ». Je plissai les yeux et restais tout autant consternée qu'excitée. « Tu n'oserais pas ».

La mince matière de son pantalon de costume ne constituait pas une barrière entre nous alors que je soulevais mes jambes et les enveloppais autour de ses hanches comme une femme en chaleur. Je n'aurais jamais imaginé qu'une dispute pouvait être aussi excitante. Ma jupe remonta et je frottais mes cuisses nues contre ses hanches; j'en voulais plus.

En levant les bras au-dessus de ma tête, il attrapa mes poignets d'une main, libérant l'autre pour la glisser autour de ma taille alors qu'il embrassait mon cou, le léchait. Le suçait. Il y aurait là une marque au matin. Je m'arquai pour lui donner un meilleur accès alors que ses doigts laissaient une traînée de chaleur sur leur chemin vers ma poitrine pleine sous mon chemisier. Il écarta le tissu fin avec ses paumes dont je sentais la peau. Mes tétons durs en demandaient encore.

« Ouuuuiiii ».

Merde ! Était-ce moi ? Je ne reconnaissais pas cette voix. Je n'avais jamais eu aussi envie d'être touchée, jamais été autant en demande. Et le boulot... quel boulot ? Rien ne pouvait me faire oublier mon travail plus rapidement qu'un homme mordillant doucement mon téton. Et pas n'importe quel homme. *Sam Kane*. Mon Dieu, il avait été mon béguin d'enfance, la star de mes fantasmes d'écolière, mais c'était il y a quinze ans.

Il n'était alors qu'un garçon. C'était désormais un homme entier et je l'escaladais comme un arbre. Nous avions passé une heure entière à nous disputer et il savait instinctivement comment me faire démarrer au quart de tour. Au lieu de le lui donner un coup dans les couilles, j'étais dans le couloir d'un bar et je le laissais me toucher, me goûter et me lécher.

« C'est tout ! La seule chose à laquelle tu dois penser est

ceci ». Ses lèvres réclamaient les miennes alors que sa main libre glissait plus bas, le long de mon abdomen. Les extrémités de ses doigts glissèrent sur ma jupe jusqu'à ma cuisse, puis remontèrent, plus haut, et caressèrent la dentelle de ma culotte.

Sa main se resserra autour de mes poignets, sa langue explora ma bouche et deux doigts écartèrent le tissu de ma culotte et se glissèrent en moi. J'avais tellement envie de lui que je faillis jouir à cet instant.

Je ne pouvais pas arrêter le gémissement rauque qui s'échappait de ma gorge alors qu'il retirait ses doigts avant de les enfoncer en moi à nouveau. Il était opiniâtre, autoritaire et chiant comme la pluie. Il m'avait même volé mon portable pour m'empêcher de travailler. Alors pourquoi murmurai-je son nom alors qu'il faisait de moi ce qu'il voulait ?

Poussant sur sa main, j'essayai de lui faire caresser mon clitoris, le faire entrer en moi plus profondément, mais il mit un terme à notre baiser et mordit ma lèvre inférieure légèrement, juste assez pour me faire savoir que c'était lui qui menait la danse. « Pas encore, Katie. Pas avant que je ne te donne la permission ».

La permission ? Comment osait-il ! Ses doigts étaient luisants de mon désir.

Ma chatte se contracta et il retira ses doigts, les enfonçant à nouveau deux fois de plus, faisant toujours autant attention à ne pas effleurer mon clitoris. Je gémissais de frustration et il mordilla ma mâchoire. « Je veux t'entendre gémir comme ça ». Il caressa mon clitoris, rapidement et légèrement, ce qui me faisait fondre encore plus. Je gémissais et sa bouche se posa à nouveau sur mes lèvres, alors que ses doigts bougeaient doucement dans ma chatte trempée, de manière si lente que j'en avais envie de pleurer.

Il m'embrassa, fort, puis défit l'étreinte de mes jambes autour de sa taille, avant de se baisser un peu. Lâchant mes poignets, il s'agenouilla devant moi et souleva ma jupe jusqu'à ma taille. Il écarta ma culotte en dentelle alors qu'il me tenait en place avec une main sur mon ventre. De l'autre, il écartait ma chatte encore plus afin que sa langue puisse se frayer un chemin.

« Oh merde », murmurai-je, regardant sa tête sombre entre mes cuisses, sentant son souffle chaud sur mon sexe.

J'aurai dû lui dire d'arrêter. Nous étions dans le foutu couloir d'un bar. OK, un couloir à l'arrière du bar, mais n'importe qui pouvait entrer à n'importe quel moment. Je devais me comporter comme une vraie professionnelle et lui dire non, lui dire d'attendre que nous trouvions un lieu plus intime, plus...

Il avala mon clitoris dans sa bouche tout en donnant des coups de langue et mes mains se perdaient dans ses cheveux. La tête en arrière, je n'avais pas réalisé que j'avais fermé les yeux jusqu'à ce que j'entende un léger rire venant de ma droite.

Choquée, je me retournai pour découvrir le cow-boy sexy que j'avais rencontré plus tôt dans l'avion, nous regardant avec une lueur intéressée dans les yeux. Il s'appuya contre le mur, les bras croisés. Depuis combien de temps nous regardait-il ? Trop choqué pour bouger, je me contentais de gémir alors que Sam jouait avec mon clitoris dans sa bouche. Savait-il que nous n'étions pas seuls ? Si c'était le cas, il était tout simplement trop habile pour s'arrêter. Poussant sa tête, je voulais qu'il s'éloigne, puis alors que sa langue tournait en moi, je tirai sur ses cheveux, le tenant au plus près. J'allais céder, vacillant au bord de mon orgasme.

Le cow-boy sourit et se rapprocha. J'avais l'impression que le couloir était bondé. Non, c'était en fait l'impression que j'avais à cause des deux hommes qui me portaient une attention très spéciale. L'un des deux avait la tête entre mes jambes et s'apprêtait à me faire jouir juste avec sa langue, tandis que l'autre bloquait le passage avec ses larges épaules. Il posa sa main sur ma joue, puis caressa de son pouce ma lèvre inférieure. « Je vois que tu as rencontré mon cousin ».

Son cousin ? Il sourit, puis il m'embrassa, un baiser chaud, humide et profond alors que Sam travaillait ma chatte humide avec sa langue, m'emmenant dans un orgasme qui me fit trembler de la tête aux pieds.

Tandis que Sam me faisait jouir, son *cousin*, Jack, étouffa mes cris avec un baiser. Mes ennuis ne faisaient que commencer.

1

ATHERINE

DIX HEURES PLUS TÔT ...

« Bonjour, ici le commandant de bord. Nous sommes sur le point de décoller, mais comme vous pouvez voir par les hublots, le temps ne joue pas en notre faveur et la tour de contrôle a momentanément suspendu tous les vols. Je ne sais pas exactement combien de temps cet orage nous empêchera de décoller. Il semblerait que nous en ayons en tout cas au moins pour une demi-heure. Nous vous tiendrons informés ».

Génial. Jetant un coup d'œil par le petit hublot de l'avion, je pouvais voir les nuages gris anthracite qui nous empêchaient de quitter Denver. Je m'étais précipitée d'une porte à l'autre, depuis la lointaine banlieue jusqu'à la porte d'embarquement de mon vol, tout ça pour me retrouver bloquée comme ça sur la piste. Je jetai un coup d'œil à ma montre, puis soupirai. Je n'avais pas le temps pour ça. Bon sang, je n'avais pas le temps d'aller dans le Montana, mais j'y allais quand même.

Penchée contre l'appuie-tête inconfortable, je fermais les yeux et respirais calmement pour faire baisser ma frustration. J'avais passé la moitié de la nuit à terminer les dépositions qui devaient être déposées ce matin, avant de consacrer deux heures de plus à gérer tous mes e-mails. Et une fois tout ça terminé, je devais encore faire mon sac. Je n'avais rien, *absolument rien* de convenable pour le Far West à part un jean et des chaussures de sport, aussi après avoir passé une heure à fouiller mes placards j'ai bourré mon sac jusqu'à ce qu'il soit plein à craquer.

J'avais dormi à peine deux petites heures avant que l'alarme ne sonne à quatre heures et demie, pour constater que le pont entre Manhattan et Queens subissait des réparations nocturnes et qu'il y avait des bouchons. Les formalités à l'aéroport avaient été longues, et j'avais du subir une fouille complète à cause des épingles en titane dans ma jambe. Une fois la porte d'embarquement atteinte, mon patron avait appelé pour se plaindre que je ne consacrais pas assez de temps à mes clients. J'avais tellement envie de devenir associée dans la boîte que j'ai un instant songé à tout laisser en plan pour me rendre au bureau, mais lorsque mon vol fut annoncé, je savais que je devais au moins régler un problème dans ma vie. Et maintenant j'étais coincée sous un orage.

Alors qu'à cause de la fatigue, mes paupières ne cessaient de se fermer, j'ai essayé les techniques de respiration profonde que j'avais apprises dans mes cours de yoga. Les cours étaient censés être apaisants, mais cela n'avait jamais marché. Je n'ai jamais été calme. Et maintenant, l'air en boîte de cet avion minuscule devenait de plus en plus chaud, pénétrant mes poumons, m'étouffant. J'étais coincée et je ne pouvais rien y faire. Merde. Je détestais tout ce qui échappait à mon contrôle. Je n'étais pas claustrophobe, mais je me sentais quand même prise au piège. Un énorme roulement de tonnerre secoua l'avion, juste avant que la pluie ne frappe le métal comme un millier de marteaux minuscules. Dieu essayait-il de me dire quelque chose ?

Respire.

Respire lentement par le nez, retiens ta respiration, encore un peu puis souffle lentement par la bouche. Respire... du bois de santal et du cuir avec juste ce soupçon de chaleur, j'étais sûre qu'il ne pouvait s'agir que de son odeur unique. J'étais assise à côté d'un vrai cow-boy beau gosse et son odeur était tellement agréable que je n'arrivais pas à me concentrer sur quoi que ce soit d'autre, surtout avec les yeux fermés. Ce n'était pas du parfum, du savon peut-être, et cela accaparait tous mes sens. Comment aurais-je pu me concentrer sur mes cours de yoga, tandis que j'étais assise à côté d'un tel mec et que nos épaules se touchaient ?

J'avais presque avalé ma langue quand il avait remonté l'allée étroite, mis son chapeau de cow-boy dans le compartiment à bagage avant de s'asseoir dans le siège à côté de moi, tout en se pliant en deux pour faire entrer dans le siège son corps longiligne. Il m'avait souri brièvement, m'avait saluée poliment avant de se plonger dans son livre. J'étais occupée à envoyer des textos sur mon téléphone à ce moment-là, mais mes doigts s'étaient brusquement bloqués sur mon écran alors que je le zyeutais. De manière flagrante. Je me suis dit que ma prérogative de femme me donnait le droit de mater autant que je voulais alors que mon cœur commençait à battre la chamade.

Il avait des cheveux blonds un peu longs et bouclés aux extrémités. Peignés, mais sauvages. Ses yeux étaient tout aussi sombres et perçants, mais la façon dont ses lèvres charnues remontaient légèrement aux extrémités rompait avec la sévérité de son visage. Sa peau bronzée était une bonne indication qu'il ne travaillait pas dans un bureau. Comme ses grandes mains avec des ongles courts et bien entretenus et une musculature fascinante qui roulait sous sa peau. Des mains fortes qui ne demandaient qu'à pétrir le corps d'une femme. Plus important encore, pas d'alliance...

N'étais-je pas une obsédée à reluquer comme ça mon voisin ? Mais enfin, quand même... il dégageait tellement de phéromones ou un truc dans le genre parce que je n'avais qu'une idée en tête : le chevaucher et l'emmener au septième ciel. Mon cerveau était au point mort et mes ovaires avaient pris le dessus.

Il n'y avait pas de cow-boys à New York. Et je devais admettre, il n'y a rien de plus excitant qu'un homme dont les muscles puissants sont le fruit du travail au grand air et du soleil plutôt que de séances régulières dans une salle de gym. Aucun homme ne peut porter aussi bien une chemise à bouton-pression, des jeans et des bottes usées qu'un authentique cow-boy. Et cet homme ? C'était un cow-boy pur jus. Bon sang, j'avais toujours été attirée par les cadres en costard, mais aucun ne pouvait lui arriver à la cheville. Ils avaient beau gérer des contrats d'un milliard de dollars au cours d'un déjeuner, jamais l'idée de coucher avec l'un d'entre eux ne m'aurait jamais effleurée. Mais ce type, là, assis à côté de moi ? Je l'aurais laissé me chevaucher comme sa jument n'importe quand.

Comme je n'allais pas le lui dire, je jetai de nouveau un coup d'œil à ma montre. Trois minutes s'étaient écoulées depuis l'annonce du pilote. Je devais mettre à profit tout le temps que j'avais. Je me penchai en avant et j'essayai d'atteindre mon sac, mais les sièges étaient trop rapprochés. Je devais me pencher sur le côté et ma tête frôla la cuisse de Mister Cow-boy, dure comme de l'acier. Une cuisse dure comme de l'acier mais chaude.

Brusquement, je me suis redressée tout en lui adressant un regard en coin. « Je suis désolée ». Je rougis instantanément tout en mordant la lèvre.

Oh merde, il avait une fossette. Il sourit, dévoilant ce creux parfait sur sa joue droite et je la regardai fixement, la bouche ouverte. Il avait une barbe de trois jours, et je me demandais si ses poils étaient plutôt rêches ou doux ? Les faisaient-il courir sur la peau de son amante ? Utiliserait-il cette légère abrasion pour taquiner l'intérieur de mes cuisses avant de me goûter avec sa...

« Pas de problème. Quand vous voulez », murmura-t-il, sa voix profonde.

Est-ce qu'il insinuait que je pouvais mettre ma tête sur ses genoux à *tout moment* ? Est-ce que cela voulait dire qu'il voulait que je ...

Mes yeux se posèrent sur ses genoux et j'observai rapidement que son jean bien ajusté qui mettait en valeur toutes les parties de son corps.

Mortifiée, je lorgnais son très gros paquet, avant de détourner les yeux non sans remarquer son clin d'œil et son rictus.

Essayant de garder mon bras sur l'accoudoir central, je me servis de mon pied pour tirer mon sac vers moi - grâce à mes séances de yoga, j'arrivais à me contorsionner pour l'attraper, afin d'en retirer mon portable et mon ordinateur pour les placer sur la tablette devant moi. J'enlevai le mode avion de mon téléphone; il sonna tout de suite.

Je voulais arrêter la sonnerie, et je pris l'appel.

« Ne pense pas que tu puisses t'enfuir et vendre la propriété de ton oncle sans que je le sache ».

Rien que d'entendre la voix de Chad mettait mes nerfs à rude épreuve. Comme j'avais bloqué son numéro de portable, il appelait probablement depuis son bureau. Pourquoi ne pouvait-il pas me laisser tranquille ?

« Je ne m'en cache pas. Je vends la maison de mon oncle. Comme ça, tu sais ». Ne cherchant pas à déranger les autres passagers, j'avais gardé ma voix basse.

« Et tu veux empocher tous les bénéfices ? Ça ne se passera pas comme ça, ma chérie ».

« Je ne suis pas ta chérie, Chad. Et je ne pense pas l'avoir jamais été » grognai-je. Quand je l'avais découvert au lit avec sa secrétaire, j'avais supposé que c'était elle sa chérie.

« Tu es ma femme et cela me donne droit à la moitié de cet héritage ».

Je jetai un coup d'œil à la pluie qui tombait derrière le hublot. Mes émotions étaient de la même trempe que le ciel, sombre et menaçant de se déchaîner. « Tu as passé trop de temps à étudier le droit bancaire. Nous ne sommes plus mariés. Ce qui signifie que tu n'as le droit à rien ».

« C'est l'avis d'une femme qui, au bout de quatre ans, n'est toujours pas associée dans son cabinet ».

C'était un coup bas. Chad était devenu associé junior dans son entreprise au bout de dix-huit mois, et il ne se lassait pas de m'en parler. Je jetai un coup d'œil à Mister Cow-boy et découvris qu'il me regardait avec une intensité qui me fit me tortiller sur mon siège. Je sentais à son expression qu'il écoutait ma conversation. Mon Dieu, je n'avais pas besoin qu'il m'entende m'engueuler avec mon ex-mari.

« Chad, je suis dans l'avion et je ne peux pas parler. Nous n'avons rien d'autre à nous dire. Arrête de m'appeler ».

J'ai raccroché et regardé fixement mon portable. Nous étions divorcés depuis presque deux ans et il essayait toujours de baiser avec moi. Ce mariage avait été une erreur et les conséquences de cet échec me poursuivaient toujours.

La respiration de yoga n'allait pas me calmer dans ce cas précis, aussi je devais penser à autre chose. Le travail. Le travail me ferait me concentrer sur quelque chose d'autre que les mensonges, les tromperies et les coups bas de mon ex.

J'avais sorti le dossier que j'écrivais et j'ai commencé à travailler dessus pendant que Mister Cow-boy lisait son livre. Après quelques minutes, un message est apparu dans le coin inférieur de l'écran.

Elaine : J'ai vu ton nom apparaître. Tu es arrivée ?

Moi : Coincée sur un vol de correspondance à l'aéroport de Denver. Orage.

Elaine : ça craint.

Il y eut un blanc d'une minute, puis elle écrivit de nouveau.

Elaine : Souviens-toi de ta mission principale ! Trouve un cow-boy bandant et fais-lui sauvagement l'amour !

Mes yeux s'arrondirent en lisant le message dans le coin de l'écran de mon ordinateur portable.

Coulant un regard vers mon cow-boy, il ne semblait pas avoir remarqué le message osé de mon amie. La police de caractère était minuscule et bien que les sièges soient rapprochés, je ne pouvais qu'espérer qu'il soit myope. Et concentré sur son livre.

Moi : perte de temps. J'ai trop de travail à faire.

Elaine : Dernières paroles d'une femme qui a désespérément besoin d'un orgasme. Chad était un connard avec une bite de la taille d'un crayon. Tu as besoin d'un mec qui te fera chavirer.

Elaine n'avait pas sa langue dans sa poche et c'est ce que j'aimais chez elle. Elle ne mâchait pas ses mots. Ce qu'elle disait à propos du sexe de mon ex était probablement vrai. Malheureusement, il avait été mon seul et unique amant aussi je ne pouvais pas comparer sa queue à d'autres, mais je savais qu'il ne savait pas s'en servir. Quant à être chavirée, eh bien, je doutais que ça allait arriver de sitôt. J'étais trop occupée. Le boulot, encore le boulot, toujours le boulot. De temps en temps, je dormais. Comme Chad me le faisait si gentiment remarquer, je n'étais toujours pas associée. Pas encore. Si je voulais le devenir, je devais me dépenser sans compter mes heures.

Moi : ce n'est pas en baisant que je deviendrais associée.

Elaine : tu te trompes de priorités, ma chère, si tu penses que tu ne peux pas avoir les deux. Tu penses que Farber a une vie sexuelle ?

Je ne savais pas si je devais rire ou vomir dans ma bouche. Mon patron avait la soixantaine et il était loin d'être attirant. Et c'était un putain de misogyne.

Moi : Ah ah !

Elaine : un coup d'un soir. Je ne dis pas de trouver un mari, mais juste un amant. Puis prends-en un deuxième et baise-le aussi.

Je soupirai, essayant de comprendre comment j'allais trouver un mec pour baiser. Je n'étais pas exactement un top-modèle avec ma petite taille et mes courbes. Et les coups d'un soir n'étaient pas vraiment dans mon genre. Comment est-ce qu'on s'y prenait de toutes façons ? Étais-je supposé aborder un mec dans un bar et lui dire que je voulais faire l'amour ? Boire et me pavaner jusqu'à ce que le mec me remarque, et rentrer à la maison avec lui et lui dire de se casser une fois l'acte consommé ? Tout ça me mettait mal à l'aise. L'idée de me transformer d'une divorcée guindée et bourrée de travail qui n'avait connu qu'un seul homme en une femme fatale dans les montagnes du Montana me semblait irréaliste.

Moi : très bien. Le premier homme que je verrai quand je descendrai de cet avion, je lui demanderai de me baiser. ça devrait marcher, non ?

J'aurais pu jurer avoir entendu Mister Cow-boy émettre un grognement, mais alors que je lui jetais un coup d'œil, je constatais qu'il lisait toujours.

Elaine : Ça a marché pour moi. Sérieux, prends un cow-boy du Montana et vas-y à fond.

Mister Cow-boy n'avait toujours pas bougé et je soupirai intérieurement. Il n'avait pas besoin de voir cette conversation.

Mon téléphone sonna.

Moi : Je dois te laisser. Farber envoie des textos.

Elaine : il connaît les SMS ? Lol !

Je levais les yeux au ciel et fermais la fenêtre de messagerie. Saisissant mon téléphone, je pris connaissance du texto de mon patron.

Farber : La date d'audience pour l'affaire Marsden a été changée pour mardi. En raison de votre absence, Roberts prendra le relais.

« Merde », murmurai-je et ma main se serra autour de l'étui du téléphone jusqu'à ce que mes phalanges soient blanches.

Je contemplais les mots et me retenais de lancer le

téléphone à travers l'avion. Eric Roberts était en lice pour la même place d'associé que moi, et c'était le dernier des connards. En plus d'avoir un diplôme en droit, il avait obtenu une maîtrise de fouille-merde et un doctorat en gestion des affaires des autres. J'étais parti une demi-journée et il reprenait déjà mon plus gros dossier. Je pouvais seulement imaginer ce qu'il allait accomplir au cours de la semaine où je serais partie.

En temps normal, j'aurais souri poliment et mordu ma langue. Mais pas ce jour-là. Je murmurai à moi-même alors que je répondais au SMS de Farber avec une recommandation polie lui proposant d'envoyer Martinez à la place. Martinez, au moins, n'était pas guidé par sa queue. Roberts avait baisé à peu près tout le service juridique et il avait désormais jeté son dévolu sur la réceptionniste du cabinet orthopédique au quatrième étage. « Roberts. Connard ! Tu penses que tu vas m'avoir ? »

« Vous vous parlez souvent à vous-même ? »

Je tournais la tête et levais les yeux vers Mister Cow-boy.

« Je vous demande pardon ? » lui répondis-je, confuse. Mon cerveau était encore en train de gérer le fait que ma carrière semblait foutre le camp à la vitesse grand V.

« Je me demandais juste si c'était courant chez vous de parler toute seule ? »

Je recouvrai la raison, rougissais vivement, puis détournai les yeux, apercevant l'hôtesse en train de se frayer un chemin dans l'allée centrale.

« Oh, euh ... Seulement quand je suis stressée ». Je ris sèchement. « Ça veut dire que, oui, je me parle à moi-même tout le temps ».

Son front se crispa, puis il jeta un coup d'œil à mon ordinateur. « Votre boulot est stressant ? »

L'hôtesse s'arrêta à notre niveau. « Puisque nous sommes coincés ici, nous vous offrons un apéritif. Bière, vin, ou alcool fort ? »

« Quelque chose de fort », dis-je en même temps que Mister

Cow-Boy. Nos regards se croisèrent et nous sourîmes de concert.

« Que souhaitez-vous donc ? », répondit l'hôtesse, prête à noter ma commande dans son carnet.

« Vodka tonic », dis-je. « Double ».

« La même chose », répondit Mister Cow-Boy.

Alors que l'hôtesse continuait de prendre les commandes des autres passagers, Mister Cow-Boy se retourna vers moi. « Vous semblez avoir besoin d'un verre ».

« Ou dix » marmonnai-je.

« A ce point-là ? »

« Noyer mes problèmes dans l'alcool est la seule chose que je puisse faire à ce stade. Depuis que je suis dans cet avion, j'ai reçu un appel de mon ex, un message d'un collègue et un SMS de mon patron. En plus de cela, je ne serai pas à l'heure à mon rendez-vous dans le Montana ». J'ai tendu ma main vers le hublot de l'avion et l'eau qui coulait le long de la vitre. « Je ne peux pas retourner à New York et, après des mois de travail acharné, ils confient mon dossier à un con... ». Je me mordis la lèvre. « à un associé, parce que je suis coincé ici ».

Le regard noir de Mister Cow-boy était fixé sur moi. Comme un laser. C'était comme s'il n'entendait pas la tempête se former à l'extérieur ou le bébé qui hurlait deux rangées derrière ou la conversation du couple devant nous. Il n'écoutait que moi, et cette attention me donnait chaud. Je devais serrer ma main à mes côtés pour m'empêcher d'imaginer la douceur de ses cheveux entre mes doigts.

« Être coincé ici n'est pas si mal », me dit-il.

Je levais un sourcil, mon regard se portant sur ses lèvres alors qu'il parlait. Je continuai à le dévisager, oubliant qu'il est impoli de regarder quelqu'un trop longtemps. « Vraiment ? »

« Mmm » murmura-t-il. « Être coincé avec une belle femme ? Le rêve de tout homme. N'ai-je pas de la chance ? »

2

ATHERINE

Je passai ma langue sur les lèvres et me forçai à faire face, comme une femme raisonnable et logique. Combien de fois cet homme allait-il me faire rougir ?

« Je m'appelle Jack, au fait. »

Je passai à nouveau ma langue sur mes lèvres, la légère humidité me laissait imaginer plein d'options différentes, alors que je lui répondais. Peut-être que ça fonctionnait comme ça, se dégoter un mec. Peut-être qu'Elaine avait raison. Peut-être que je pouvais y arriver. « Catherine ».

Jack bougea ses jambes pour les étendre un peu dans l'allée. « Pourquoi êtes-vous aussi stressée, Catherine ? »

J'envisageais le mensonge pendant une fraction de seconde, mais mes instincts m'ont convaincue que ce n'était pas une bonne idée. S'il ne pouvait pas gérer une femme avec un cerveau, il ne m'intéressait pas. « Je suis avocate ».

« Mon cousin est avocat lui-aussi. D'habitude, je fais toujours des blagues sur les avocats, mais je ne pense pas qu'elles s'appliquent à vous ».

Je riais tout en hochant la tête. « Oui, je les connais presque toutes", Je tirai sur l'une de mes mèches rebelles. « Et comme je suis aussi blonde, imaginez le nombre de blagues que cela fait ! ».

« Alors, quel est ce gros problème qui vous tracasse autant ? »

Il plaça ses mains sur le dessus du livre sur son entrejambe, enlaça ses doigts, et il s'attendait visiblement à ce que je lui réponde. Je le regardai un instant, essayant de comprendre pourquoi il s'en souciait.

Peut-être put-il lire dans mes pensées, parce qu'il me dit: « écoutez, discuter avec vous est bien plus intéressant que lire ce livre. D'ailleurs, nous n'avons rien d'autre à faire. Pourquoi ne pas m'en parler ? ». Comme je ne répondais toujours pas, il ajouta : « tout ce qui se passe dans cet avion ne sortira pas de cet avion ».

« Ce n'est pas ce que l'on dit aussi de Las Vegas ? » répliquai-je, avant de sourire. « Très bien ». Je me suis retournée afin que mon dos soit contre la paroi de l'avion et je lui fis face.

« Mon plus gros problème est que j'ai de bonnes chances de devenir associé dans mon cabinet et un collègue ambitieux a pris en charge mon dossier le plus important. Je suis partie depuis... » Je jetai un coup d'œil à ma montre et calculai le décalage horaire. « ...six heures et il est déjà en train de récupérer mes clients ».

« Associée, hein ? Très impressionnant, surtout pour quelqu'un d'aussi jeune ».

Je fronçai les sourcils et le regardai attentivement. « Merci. Je ne suis pas si jeune que ça et je ne pense pas que vous soyez encore suffisamment vieux pour être un vieux singe ! ».

« Je n'ose jamais deviner l'âge d'une femme. Ma mère m'a appris les bonnes manières et j'ai trente-deux ans ».

« Alors je vais juste dire que vous me devancez de quelques

années seulement ». Cinq pour être précise, mais il n'avait pas besoin de savoir ça.

« Comme je l'ai dit, impressionnant ».

J'ai regardé mes ongles courts. « Devenir associé est mon but depuis une dizaine d'années. J'ai travaillé comme une tarée et le simple fait d'imaginer ce connard me volant la vedette et devenant associé à ma place me donne envie d'étrangler quelqu'un ».

« Vous avez toujours voulu être avocate ? »

« Oui ».

« Pour quelle raison ? Quelqu'un de votre famille a été incarcéré pour un crime qu'il n'a pas commis ? » Les extrémités de sa bouche remontèrent laissant apparaître ses fossettes. Je le regardai. Je ne pouvais pas m'en empêcher. J'avais terriblement envie de l'embrasser, savoir à quoi ressemblait sa peau.

Et merde. Elaine avait raison. J'avais besoin de baiser. La longue période d'abstinence depuis mon divorce me faisait perdre la tête. « Euh non. Mon père est avocat. Ma mère est avocate ».

« Vous suivez leur trace, en quelque sorte ».

J'ai pensé à mes parents. Pas très chaleureux, pas vraiment d'amour. Mais ils m'avaient envoyé à l'université et à la faculté de droit, je n'avais donc pas à me plaindre. « Oui, sans doute. Je n'y ai jamais vraiment pensé. C'était ce que je devais faire, c'est tout ». J'en avais assez dit sur moi. Le moment était venu de poser des questions. « Et vous ? Que faites-vous ? »

« J'ai un ranch ».

« Qu'est-ce que cela signifie exactement ? »

« Vous êtes déjà allée dans le Montana ? »

« Quand j'étais jeune. Mon oncle a vécu là-bas ».

Il acquiesça discrètement. « J'élève des chevaux ».

« Je m'étais bien dit que vous étiez un cow-boy ».

« Je m'étais bien dit que vous étiez une fille de la ville ».

Je contemplais mon ordinateur portable et mon téléphone.

Vis mon chemisier blanc et mon jean slim. « Oui, vous avez beau vous cacher derrière vos habits, le naturel revient toujours au galop, n'est-ce pas ? »

Il me regarda un instant. « Je ne sais pas. Peut-être que vous avez juste besoin d'essayer ».

Ses mots me hérissèrent, je soupirai. « Ce n'est pas si facile, vous pouvez me croire ». J'avais essayé toute ma vie. J'avais essayé tout ce que les livres disaient de faire pour se détendre. Des vacances au bord de la mer. Le yoga. Toutes sortes de thérapie et un massage par mois. Et cela ne m'avait donnée qu'une quantité infinie d'e-mails sans réponses, des muscles endoloris à force de faire des courbettes, des cauchemars avec des insectes qui m'agressent, et la honte absolue d'avoir mon corps pas tout à fait parfait enduit d'huile par un inconnu faisant tout son possible pour ne pas remarquer qu'effectivement, mon corps n'était pas parfait.

L'hôtesse apporta nos boissons sur un plateau, me donna la mienne et tendit son verre à Jack.

Je bus une gorgée de la boisson glacée et sentis l'alcool sur ma langue, avant qu'il ne coule dans ma gorge rafraîchie.

« Vous allez au Montana pour rendre visite à votre oncle ? » demanda-t-il, faisant preuve de tact en changeant de sujet.

« Mon oncle est décédé il y a plusieurs mois ».

« Je suis désolé de l'apprendre », murmura-t-il.

Je haussai légèrement les épaules. « J'avais douze ans la dernière fois que je l'ai vu. Mes parents se sont un peu brouillés avec lui et nous ne sommes jamais revenus ».

« Une embrouille ? »

J'ai pris une autre gorgée de mon verre. « On ne m'a jamais rien dit. J'ai demandé, croyez-moi, mais ils ne voulaient rien me dire. Étonnamment, il m'a léguée sa maison et je vais là-bas pour la nettoyer et la mettre en vente».

« Elle est à Bozeman, alors ? ». Si cet avion décollait, nous atterririons là-bas.

« Non, Bridgewater. Une petite ville à deux heures de route ». Était-ce mon imagination, ou ses yeux se sont-ils rétrécis quand je mentionnais le nom de cette ville ? J'étais sur le point de lui demander, mais le bourdonnement de l'interphone de l'avion attira mon attention.

« Merci de votre patience ». La voix du pilote résonna dans le haut-parleur, empêchant Jack d'en dire plus. « Vous pouvez constater qu'il pleut toujours, la tempête se dirige vers l'est et nous avons le feu vert pour le décollage. Nous sommes en cinquième position pour le décollage ».

L'hôtesse revint chercher nos verres. Ne voulant pas gaspiller la boisson, j'avalais le reste en deux gorgées avant de lui remettre. Je n'avais pas d'autre choix que de ranger mon ordinateur portable car la tablette devait être relevée. L'avion avançait lentement, au fur et à mesure que les appareils qui le précédaient décollaient les uns après les autres. Avant même que je ne m'en rende vraiment compte, nous étions dans l'air et les effets de l'alcool se faisaient sentir. J'étais désormais légèrement enivrée par son parfum et la vodka, et tout ce que je souhaitais, c'était d'en savoir plus sur ce séduisant cow-boy.

« Je n'ai jamais pensé à vous le demander, mais est-ce que vous rentrez chez vous dans votre ranch au Montana, ou bien se trouve-t-il dans le Colorado ? ».

« Dans le Montana » répondit Jack. « J'y suis né et j'ai grandi là-bas. J'étais à Denver pour les affaires. À mon tour ».

Alors que je fronçai les sourcils, il précisa : « À mon tour de poser une question ».

« OK ! Allez-y ! » L'alcool me remplissait d'un sentiment de chaleur et je savais qu'en temps normal je ne me serai jamais comportée de la sorte. Mais qu'importe ! Je ne le reverrais jamais de toute façon.

« Je ne vois pas de bague. Vous avez mentionné un ex ? »

« Divorcée. Et vous ? ».

« Jamais marié ».

« Une petite amie ? ». Je mourais d'envie de le savoir et la vodka me déliait la langue.

« Non. Vous, un petit ami ? ».

J'ai secoué ma tête. « Pas le temps. Mon amie dit que... ». Je laissais ma phrase en suspens, réalisant que j'en disais trop. Peu importait que je ne reverrais jamais cet homme une fois que l'avion aurait atterri à Bozeman. Le fait que ce soit aussi facile de lui parler n'avait pas d'importance. Il y a simplement certains secrets qu'une fille ne partage pas. Comme le fait que j'avais besoin d'être sérieusement baisée, debout contre un mur, et qu'il me fallait au moins cinq orgasmes.

« Votre amie dit que... ? ».

J'ai contemplé son visage magnifique, ses épaules très larges, et le reste de son corps. J'aurais pu tout aussi bien avouer ce qu'Elaine m'avait dit. J'aurais pu lui demander de but en blanc, lui dire que j'avais très - très - envie d'avoir des rapports sexuels endiablés avec lui. Il était célibataire, et il avait dit que j'étais belle. Même si je nous imaginais pas devenir membre du Mile High Club, ce club informel des amants du ciel - les toilettes de cet avion était à peine assez grandes pour contenir une personne - et encore moins deux - nous aurions pu assez facilement trouver un hôtel près de l'aéroport, une fois que l'avion aurait atterri. J'étais prête à parier que c'était un bon amant. Très bon, même. Avec ses mains et la boursouflure de son sexe clairement visible sous son jean, il aurait facilement pu m'emmener au septième ciel. Les mots étaient là sur le bout de ma langue. *Souhaitez-vous que nous couchions ensemble ce soir ?*

Elaine aurait pris les devants. Mais je me suis dégonflée. J'avais peur d'être rejetée. J'avais été rejetée par Chad. Et si Jack m'avait repoussée lui aussi, j'aurais été dévastée.

« Rien ». Comment pouvais abréger cette conversation ? Les toilettes. Chaque femme a besoin de se *repoudrer le nez,* même à 35 000 pieds. « Euh, si ça ne vous dérange pas, est-ce que vous pouvez me laisser passer ? ». Je montrai du doigt l'arrière de l'avion.

Jack déboucla sa ceinture de sécurité et se leva, se campant au milieu de l'allée centrale pour me dégager le passage vers l'arrière de l'avion. Quand j'eus fermé la porte des toilettes derrière moi, j'éclatai de rire. Comment pouvait-on avoir des rapports sexuels dans un espace aussi réduit ? C'était minuscule et définitivement insalubre. Je pris une seconde pour me regarder dans le miroir, pour voir ce que Jack voyait. Mes cheveux blonds étaient ondulés et descendaient au niveau de mes épaules, avec une longue frange peignée sur le côté. L'humidité de la côte la rendait quelque peu indomptable, ce qui n'était pas du meilleur effet pour mon look corporate. Je m'étais résignée à ça depuis un moment, mais j'étais contente de la couleur naturelle de mes cheveux. Je les ramenais derrière mes oreilles et essuyais mes mains tout en m'assurant que mon mascara n'avait pas coulé.

« Tu discutes avec un vrai beau gosse. Il s'intéresse à toi, peu importe tes bizarreries et ta folie. Il ne va nulle part alors sors de là et va lui parler ». Je me regardai, puis fronçai les sourcils. « Oui, bien sûr. Comme s'il pouvait s'intéresser à moi ».

En remontant l'allée, je découvris Jack endormi. Il avait la tête inclinée en arrière, la bouche légèrement ouverte. Mon Dieu, quel goût aurait ses lèvres pleines posées sur les miennes ? Je ne pouvais pas rester debout dans l'allée à le contempler de la sorte, mais je ne voulais pas le réveiller parce qu'il avait l'air complètement endormi. La seule façon de me rendre à mon siège était de passer par dessus-lui. Posant une main sur le dossier du fauteuil en face de moi, je levai la jambe et grimaçai en tentant de passer par dessus son corps endormi. Mon Dieu, comme il était grand. Je posai mon pied sur le sol, appuyant mon poids dessus avant de ramener mon autre pied, mais mes jambes étaient trop courtes. J'avais mal calculé mon coup et je me retrouvai à califourchon sur ses cuisses. Puuuutain.

Jack sursauta et déplaça ses jambes, ce qui eut pour effet de lever mes orteils du sol. Je perdis l'équilibre et tombai en avant, mon genou atterrissant sur le siège vide à côté de lui, et mes fesses retombant fermement sur ses genoux. Je poussai un petit cri, ce qui lui fit ouvrir les yeux. Instinctivement, ses mains enlacèrent ma taille. Menue comme j'étais, ses pouces se trouvèrent au niveau de la courbe inférieure de mes seins qui étaient pressés contre sa poitrine.

Mes yeux s'écarquillèrent alors que je sentais la turgescence qui gonflait son pantalon, entre mes cuisses. Si la mince barrière de nos vêtements ne nous avait pas protégés, son sexe se serait tout simplement retrouvé au plus profond de mon intimité. Nue, j'aurais tout aussi bien pu le chevaucher de cette façon, sur ses genoux, mes seins pressés contre sa poitrine, sa bouche hors de portée. Il me suffisait de lever le menton et -

Nos regards se croisèrent. J'étais coincée sur lui, comme un lapin effrayé. Mon cerveau s'est mis en mode « arrêt » et je ne pouvais ni bouger, ni parler. Aucun commentaire sarcastique n'aurait pu désamorcer cette situation. Non. Pas moi. Première dans mes cours de plaidoirie à la fac, et je ne trouvais absolument rien à dire. Rien. Je ne pensais qu'à une seule chose : me retrouver nue avec un parfait inconnu. Et avoir des rapports sexuels frénétiques avec lui.

Ses yeux se rétrécirent, emplis de chaleur et d'intensité. Son regard avait pris une teinte gris orage. Comme les nuages que nous survolions. J'ai frissonné.

J'ai finalement retrouvé ma voix. « Oh euh, merde ». Je me suis penchée vers mon siège et j'ai essayé de lever l'autre jambe, mais ses mains m'ont maintenu en place. « Désolé, je ... um ... je ne voulais pas vous réveiller ». Je savais que mon visage était rouge écarlate, mais je ne pouvais rien y faire.

Il a alors souri, me soulevant facilement pour que je puisse balancer ma jambe et me retourner pour m'asseoir sur mon siège.

« Quand vous voulez, Catherine, pas de souci ».

Je pouvais encore sentir la pression de ses mains sur mes côtés, sa turgescence chaude et très dure sur l'intérieur de mes cuisses. J'étais mortifiée, je sentis mes joues brûler et je n'osai plus le regarder. Avec mes doigts tâtonnants, j'ai bouclé ma ceinture de sécurité. Mon Dieu, comment quelqu'un peut-il survivre à un tel embarras ? Je devais faire quelque chose, n'importe quoi, afin de ne plus avoir à lui parler. Elaine avait voulu que je me jette sur un homme. Eh bien, je l'avais fait ! Ce n'est pas que je voulais que l'avion s'écrase ou quoi que ce soit, mais j'étais trop embarrassée pour lui adresser la parole. Rien n'avait changé. J'ai toujours aussi nulle pour draguer. Je l'avais toujours été. Avec un mode d'emploi ou un livre de procédure, là, oui, j'étais capable de me débrouiller. Mais ça ? La drague et les rapports sexuels ? J'étais une vraie truffe.

« Je ... euh ... je ferais mieux de retourner au travail ». Même si les mots étaient destinés à Jack, je m'adressai du dossier du fauteuil devant moi.

Du coin de l'œil, je pouvais l'observer en train de hocher la tête en signe d'assentiment, d'appuyer sur le bouton qui baissait le dossier de son siège de deux centimètres à peine, avant de fermer les yeux à nouveau. Je pouvais l'observer sans qu'il n'en sache rien. Il n'était pas aussi bouleversé que je l'étais. Il n'était pas le moins du monde embarrassé. Il semblait ne pas se soucier de ce qui venait de se dérouler. Je n'étais qu'un amusement sur un vol en retard.

En revanche, pour ma part, je n'avais jamais pu chevaucher d'aussi près un cow-boy.

Quand il bougea sur son siège, je me détournai, de peur qu'il n'ouvre ces yeux bleus intenses et se rende compte que je le contemplais fixement. Après tout le pataquès de ma cascade, je ne pouvais le laisser me surprendre en train de le dévisager comme je le faisais.

Ramenant à nouveau mon sac vers moi avec mon pied, je passai trente minutes à taper sur mon ordinateur le reste du dossier. Avec Jack en train de dormir, je fus capable d'oublier ma gaffe et de me concentrer, contente de ne pas capter internet ou d'avoir de réseau sur mon téléphone dans l'avion. J'essayais de me concentrer tant bien que mal sur mon travail, et la liste de choses à faire trottait dans ma tête. J'avais beau être en mode « silence radio », cela ne voulait pas dire que le monde s'écroulait autour de moi. Je ne pouvais qu'imaginer ce qui allait m'attendre à Bridgewater.

3

ACK

« Comment était ton voyage ? » demanda Sam en jetant son stylo sur son bureau.

Je n'ai jamais pu comprendre comment un homme pouvait rester assis face à un bureau toute la journée. Mais c'était mon cousin, et cela le rendait heureux. Je repensais à Catherine dan l'avion avant de prendre conscience que Sam et elle avaient probablement beaucoup de choses en commun.

« La routine ». Je posai mon chapeau sur le porte-manteau près de la porte, puis m'installai dans l'une des chaises face à son bureau. J'étais allé à Denver pour vendre un pur-sang. Bien qu'il n'ait pas été nécessaire de rencontrer l'acheteur en personne, un entretien en face à face est parfois nécessaire pour sceller un marché. Les détails du transfert depuis mon ranch vers celui du Colorado pouvaient tout aussi bien être accomplis par téléphone. « Le vol de retour, par contre, était tout sauf monotone ».

Sam bascula en arrière sur sa chaise et posa ses bottes sur

le bureau ancien. Ces manières trahissaient ses origines de cow-boy. « L'avion a heurté un oiseau ? ».

« Quoi ? ». Je réalisais qu'il faisait référence à un vol il y a quelques années, où au moment de décoller, un oiseau avait heurté la verrière de l'avion et les pilotes avaient dû faire demi-tour. Pas drôle. Je pouvais en rire maintenant, mais j'étais resté coincé dans un hôtel près de l'aéroport de Denver à cause d'un putain de piaf ! « Non, pas du tout ! Un orage cette fois-ci, et pas mal de retard, mais ce n'était pas ça le truc. J'ai rencontré quelqu'un ».

Les sourcils épais de Sam se rapprochèrent et je pouvais pratiquement deviner ce qu'il allait me sortir, mot pour mot. « Ah oui ? Et qui s'est retrouvé dans ton lit cette fois-ci ? ».

« Ne me fais pas chier, Sam, avec mes aventures d'un soir. Elle est simplement ici pour quelques jours et elle cherche à s'amuser. Elle vient de New York. J'étais assis à côté d'elle dans l'avion. J'ai discuté avec elle pendant un moment. Et durant pratiquement tout ce temps-là, une amie lui envoyait des messages, lui disant de trouver un cow-boy et de s'amuser ».

Était-ce un sourire moqueur qui commençait à déformer la bouche de Sam ? « Je ne sais pas comment tu fais, Jack ».

« Elle a besoin de moi. Sa chatte a besoin de moi. Je ne peux pas tout bonnement ignorer ses besoins ». J'étais assis dans la chaise en face du spacieux et classieux bureau d'avocat qu'occupait mon cousin et je ne pouvais pas m'empêcher d'étaler un large sourire. « Primo, elle est super bonne. Blonde, bien roulée et si à fleur de peau qu'elle va probablement s'évanouir la première fois que je la ferai jouir ».

« Je n'ai pas envie de savoir ». Sam secouait la tête, mais ses yeux brillaient d'amusement. Ce qui était plutôt une bonne nouvelle. Il ne m'avait pas tout à fait pardonné de nous avoir coûté la femme qu'il voulait que nous nous marions il y a plusieurs années de cela, avant qu'il ne quitte la ville. La douce Samantha Connor. Elle avait dix-huit ans à l'époque et elle était tout ce que Sam désirait. Ce qu'il voulait, je le détestais :

l'innocence, la douceur, la dépendance. Le besoin. Plus Sam avait envie de la demander en mariage, plus je me sentais étouffer. Bon sang, je n'avais que dix-huit ans moi-même. J'avais refusé de l'épouser, elle avait pleuré toutes les larmes de son corps et épousé les MacPherson, six mois plus tard. Sam avait quitté la ville deux semaines après le mariage, pour ne réapparaître que dix ans plus tard.

« Enfin quoi, cousin. Si quelqu'un a bien besoin d'être baisé, c'est elle ».

Je souriais en repensant à son ordinateur, à son téléphone portable, à sa messagerie instantanée et à sa boîte de réception pleine à ras-bord... et tout ce qui était passé par sa délicieuse tête blonde. C'était amusant de la voir aussi tendue et sérieuse. J'avais eu un début d'érection au cours de la conversation et j'avais dû prendre mon livre pour tenter de la dissimuler durant tout le vol. Quand elle s'était levée pour aller aux toilettes, j'avais bien profité de la vision de son cul bien rond alors qu'elle parcourait l'allée centrale, et ça m'avait donné une gaule d'enfer. J'étais resté là, assis, en pensant au nettoyage des étables et aux séances chez le dentiste pour la faire descendre. Mais quand elle m'avait surprise et avait essayé de grimper sur mes genoux, je l'avais immédiatement imaginée bien enfoncée sur ma queue, jouant des hanches pour se donner encore plus de plaisir pendant qu'elle me baisait. Il ne faisait aucun doute qu'elle avait ressenti à quel point elle me faisait bander tandis que je laissais courir mes mains le long de ses courbes voluptueuses, la douce sensation du galbe inférieur de ses seins, ses cuisses qui se pressaient contre les miennes juste avant qu'elle ne s'éloigne de moi.

Rien qu'en y repensant, mon sexe se dressa. Son corps ... rond et entier. Parfait.

Les sourcils de Sam se levèrent. « Je n'ai pas vu ce regard sur ton visage depuis un moment. À ce point-là, hein ? ».

Je hochai la tête et souris, imaginant le chemisier de Catherine qui s'ouvrait pour libérer sa poitrine imposante, ses mèches blondes, la sensation de ses cuisses sur les miennes, son désir alors qu'elle m'aurait chevauché. « Ouaip. À ce point-là ».

Sam se pencha en avant et ramassa une balle de base-ball qui traînait sur son bureau et commença à jouer avec. Nous faisions partie de l'équipe locale lors de nos vacances d'été et Sam aimait garder ses mains occupées. « Si elle est aussi bien que ça, elle mérite bien mieux qu'un coup d'un soir, alors ».

Je hochai ma tête. « J'en voudrais bien plus, mais elle ne cherche qu'une baise torride. Beaucoup de sexe, en fait. Elle en a grandement besoin ».

Sam attrapa la balle et me regarda, les yeux écarquillés. « Comment diable as-tu pu découvrir tout ça durant ton voyage ? Et ne me dis pas qu'elle t'a vraiment dit ça ».

Elle avait été sur le point de le faire, c'est sûr, mais elle avait changé d'avis. J'avais pu observer la tempête sous son crâne derrière ses yeux bleus expressifs, et presque avait été presque déçu de constater qu'elle portait un masque froid et logique pour cacher son désir. « J'ai jeté un coup d'œil à sa conversation sur sa messagerie instantanée avec une de ses amies. C'était comme si elle lui ordonnait d'avoir une aventure sentimentale. Elle est divorcée et cherche à s'amuser ».

Sam plissa les yeux. « Pourquoi aurait-elle besoin d'une aventure ? Qu'est-ce qu'elle a ? Si elle est aussi sexy que tu le prétends, il devrait y avoir toute une cohorte de mecs qui la suit, où qu'elle aille, non ? ».

« Elle vient de New York. Et elle n'a pas de problème ». C'était un beau petit lot avec des courbes que j'avais très envie de caresser à nouveau. « C'est simplement qu'elle n'arrive pas à penser à autre chose qu'à son boulot. Coincée. Une bourge de droite. Avocate, comme toi ».

« Ah, une de celles-là ». Sam avait troqué un poste de grande envergure à San Francisco, très semblable à celui que Catherine convoitait si désespérément, pour une vie plus calme dans le Montana. Les semaines de 80 heures étaient désormais bien loin derrière lui.

« Elle est coincée. Vraiment coincée ». Je croisais les doigts. « D'après la conversation sur sa messagerie instantanée, je dirais que ça fait un bail qu'elle n'a pas grimpé aux rideaux. Si nous lui mettions la main dessus, elle décollerait sans doute comme une fusée ».

« Nous ? »

« Oui, *nous* », ai-je répondu. « Elle n'est pas Samantha et je n'ai plus dix-huit ans. Je sais ce que je veux maintenant ».

Sam se raidit. Nous ne parlions jamais de ce qui s'était passé. C'était un sujet douloureux. Putain, c'était comme un énorme putain de poids qui ne semblait jamais partir.

« Ce n'était pas la bonne pour nous », ajoutai-je en faisant référence à Samantha. « Et nous n'étions pas les hommes qu'il lui fallait. Elle est mariée aux MacPherson. Et heureuse ».

La ville de Bridgewater, dans le Montana avait été fondée sur le principe de la bigamie. Deux hommes ou plus par femme. Dans les années 1880, lorsque notre arrière-arrière-arrière-grand-père était arrivé aux États-Unis depuis l'Angleterre, il s'était établi, avec quelques compagnons d'armes, à Bridgewater, et en avait fait un havre de paix. Ils croyaient dans la coutume que deux hommes devraient protéger et aimer une femme. Ensemble.

Je ne connaissais pas toute l'histoire, mais ils avaient servi dans le petit pays de Mohamir, aujourd'hui disparu, d'où était originaire cette coutume; et là-bas les hommes partageaient leurs femmes. La protégeaient, la chérissaient et l'aimaient d'une manière qui l'empêchait de se retrouver seule, quelles que soient les circonstances. Si un mari décédait, le second prenait soin d'elle et des enfants. Bien que concept paraissait étrange aux personnes en-dehors de Bridgewater, ce mode de vie avait été conçu en mettant la femme au centre de chaque famille. Ces principes initiaux fixés par nos ancêtres étaient aujourd'hui encore en vigueur. Bien que tout le monde à

Bridgewater ne soit pas marié de cette façon, c'était quelque chose de courant et d'admis. Sam et moi, nous avions grandi de cette façon - avec une mère et deux pères - et nous voulions ce genre de mariage pour nous-mêmes.

Sam laissa tomber ses pieds sur le sol avec un bruit sourd et s'appuya contre son bureau. « Jack... »

« Nous sommes des adultes. Arrêtons de nous comporter comme des gamins. Cela n'a rien à voir avec Samantha Connor. Nous étions trop jeunes. Enfin quoi, j'avais dix-huit ans et je me rasais une fois par semaine ».

Je passai ma main sur ma mâchoire, recouverte d'une barbe de trois jours. « J'y connaissais quoi au sujet des femmes ? »

« Et maintenant, tu es prêt à te marier ? ». Il me dévisageait attentivement.

« Je sais que tu es parti à cause des conséquences de l'histoire avec Samantha et je sais pourquoi tu es revenu au bout du compte - pour trouver la Seule et l'Unique. Il est temps que nous nous trouvions notre fiancée ».

Il aurait pu trouver une femme à San Francisco et s'installer, l'épouser. Mais il ne l'avait pas fait. Il voulait un mariage à Bridgewater. Il n'était pas prêt. Et maintenant, il l'était. Nous n'avions tout simplement pas trouvé la femme qu'il nous fallait.

« Et tu penses que la femme dans l'avion, c'est la bonne ? »

« Putain, ouais. Dès qu'elle m'a chevauché dans l'avion, j'ai tout de suite su qu'elle allait se retrouver dans mon lit. Et plus d'une fois ».

Ses yeux s'élargirent. « Est-ce que je dois savoir pourquoi elle t'a chevauché dans un putain d'avion de ligne ? ».

Je ne pouvais pas m'empêcher de sourire, en repensant au regard abasourdi - et en même temps, excité - de Catherine. J'avais posé mes mains sur elle, et décrypté le désir et l'envie dans son regard. Je la voulais encore, à nouveau sur moi, mais sans vêtements cette fois-ci. Je voulais être capable de déterminer la couleur de ses tétons, sentir le poids de ses seins entre mes paumes, les regarder rebondir pendant qu'elle s'enfonçait en moi, ma queue bien au fond de sa chatte sucrée. *Merde.*

Je l'aurais. Je le savais dès le moment où je m'étais assis à côté d'elle et que j'avais humé son parfum un peu citronné. Quand ses yeux pâles avaient croisé les miens, j'y avais vu beaucoup de désir. C'était comme si j'avais reçu un uppercut. Un coup de tonnerre. Autant de clichés. Je n'avais pas désiré une fille aussi fort depuis mes douze ans. Et cela n'avait pas très bien marché. Mais Catherine était une femme adulte avec des seins parfaits et des hanches bien rondes. Elle n'était sans doute pas grande, mais elle avait tout d'une femme. Douce. Toute en courbes. Ah oui, sacré bon sang. J'avais déjà vu ça dans les yeux d'une femme. Elle me désirait autant que moi je la désirais. Mais elle avait paniqué et s'était refermée comme une huître.

Je ne connaissais pas son nom de famille. Merde, je ne savais pas grand-chose d'elle en fait. Mais le comté de Bridgewater était une petite communauté fermée et c'est ici qu'elle venait. J'étais sûr de pouvoir la trouver.

Je tirai mon pantalon à cause de mon érection. Une fois de plus. Je traînais mon érection depuis quatre heures, et m'asseoir m'était devenu inconfortable. Mais le simple fait de l'imaginer prenant du plaisir à califourchon sur mes cuisses dans l'avion n'aidait pas les choses.

« C'est encore pire. Nous la baisons, elle obtient son coup d'un soir, puis elle retourne à New York », répliqua Sam. « La conversation avec son amie prouve seulement qu'elle ne va pas rester ».

« Merde, mec. Tu dois te détendre », lui dis-je en secouant la tête. Je lui ai dit mille fois que s'il se détendait, les femmes se battraient pour l'avoir. Il paraissait encore plus tendu que la femme dans l'avion. J'espérais que quelqu'un viendrait et l'encouragerait à libérer le combattant qui sommeillait en lui. Mais il n'avait pas encore eu cette chance.

Il pointa son doigt dans ma direction. « Tu veux que je baise une femme que je connais à peine et que je la laisse en plan ? Ce n'est pas comme ça que ça fonctionne ici à Bridgewater, ducon. Je veux une femme pour nous deux que nous allons garder. Pas juste un coup d'un soir ».

« Commence par m'aider à la trouver. Parle-lui. Je te parie cinquante dollars que lorsque tes yeux se poseront sur elle, tu banderas comme un taureau ».

Il agita la main vers la porte. « Je vais y penser. Maintenant, sors de mon bureau ».

« Il y a un problème ». Je ne me suis pas levé comme il le souhait.

Sam me lança un regard impatient, attendant que je poursuive.

« En se basant sur ses messages, elle est en chasse. Cela signifie qu'elle pourrait choisir de coucher avec le premier trou du cul qu'elle croisera. Si elle veut vraiment du sexe torride... ». Je levai ma main vers le sourcil levé de Sam. « Les mots de son amie, pas les miens, nous devons juste nous assurer que nous sommes les hommes - les seuls hommes - à lui donner ce qu'elle souhaite ».

Sam soupira, passa une main sur sa nuque. Il n'avait pas seulement deux ans de plus, il était aussi plus grand que moi. Plus grand et plus large, il avait joué au football américain au lycée et à l'université. Toute sa vie, il avait voulu quitter le ranch et je lui étais reconnaissant qu'il soit retourné à Bridgewater pour s'y installer. En plus de tout le fiasco de Samantha, nous avions été déçus par des femmes qui en voulaient à notre argent - le ranch n'était pas petit et Sam excellait en tant qu'avocat - ou qui ne souhaitaient pas juste se retrouver entre les deux cousins Kane que le temps d'une nuit.

Mais j'avais un présentement au sujet de Catherine, j'étais sûr qu'elle aimerait être prise par deux hommes, qu'elle adorerait être caressée et baisée et embrassée par nous deux. Mais comment arriver à convaincre l'avocate guindée de New

York ? Merde. Cela allait probablement être plus difficile que je ne le pensais et j'aurais absolument besoin de l'aide de Sam. Il était un personnage sombre, introspectif et intense. J'avais le sentiment que Catherine serait touchée par le caractère tranquille que mon cousin offrait avant de se laisser tenter par un beau parleur comme moi.

Sam remit la balle de base-ball sur son bureau et fronça les sourcils. « Très bien. Je vais t'aider à retrouver la fille de l'avion. Mais maintenant, j'ai du travail à faire. Avons-nous fini ? ».

Je savais quand je devais m'arrêter. Je n'arriverai pas à le convaincre avant qu'il n'ait pu rencontrer Catherine. Ce serait à elle, en fait, de le convaincre.

Alors que je me levais pour quitter son bureau, je lui fis un signe de la main. « Je sais, je sais, je décampe ».

Je devais juste retrouver Catherine et trouver un moyen de la présenter à Sam. J'étais sûr qu'il suffirait d'un regard pour qu'il s'entiche d'elle. Sûr et certain. Arriver à mettre Catherine dans un lit entre nous deux allait être un peu plus difficile, mais nous avions toujours aimé relever les défis. Et là, il s'agissait d'un défi qui en valait particulièrement la peine.

4

ATHERINE

« COMBIEN DE TEMPS RESTERAS-TU ICI ? » demanda Cara Smythe. J'avais trouvé à mon arrivée une note avec son numéro de téléphone et la clé de la maison placée sous le heurtoir de la porte d'Oncle Charlie.

Elle avait grandi sur la propriété à côté de la sienne et nous avions joué ensemble quand j'étais jeune. Je me souvenais d'elle avec des cheveux roux, ses taches de rousseur et son vélo bleu avec des guirlandes sur le guidon. J'avais voulu le même vélo qu'elle, mais la vie à New York - avec mes parents - ne me permettait pas d'en avoir un, ni un chiot, ni de courir pieds nus sur le gazon mouillé par une chaude après-midi de juillet. Je me souvenais de Cara comme une personne toujours souriante et heureuse en toutes circonstances : en train de sauter à la corde ou de suivre en cachette son frère aîné et ses amis. Ses parents étaient tout aussi sympathiques et j'avais toujours été envieuse de leur relation débordant d'amour. *Mes* parents étaient complètement l'inverse - fêtant Noël sur des bateaux de croisière en Europe plutôt que devant le sapin - et je me souviens avoir eu envie de rester dans le Montana pour le restant de mes jours. Au lieu de cela, l'été de mes douze ans, je suis partie pour ne plus jamais revenir. Nos vies avaient suivi leur cours et Cara était désormais mariée et habitait en ville.

« J'ai un billet pour mercredi prochain, mais si j'arrive à régler mes affaires avant, je l'avancerai ».

Je m'étais arrêtée en ville pour acheter quelques provisions et du café, pour pouvoir survivre. La maison de Charlie se tenait sur un terrain de cinq acres à un peu plus de trois kilomètres du centre-ville et je m'étais dit que les placards auraient été vides. J'avais raison.

Comme la maison était désormais à moi - ou en tout cas de manière officielle une fois que j'aurais eu en main l'acte de propriété - je m'étais dit qu'il aurait été idiot d'aller à l'hôtel. Je me fichais un peu de là où je dormais - je pouvais dormir debout - et rester ici était une chose de moins dont j'aurais à me soucier quand le moment serait venu de quitter la ville. Je me tenais dans la cuisine et elle était identique à mes souvenirs. Murs jaunes, comptoir en stratifié orange et armoires en bois sombre. Un linoléum imitation briques recouvrait le sol. C'était comme remonter dans le temps, surtout avec cet ancien téléphone suspendu au mur, à son fil. Mon téléphone était en train de se recharger à côté de la cafetière, mais il était complètement inutile car il ne captait aucun réseau. Je ne savais même pas qu'il existait encore des endroits aux États-Unis où l'on ne captait pas. Le sommet d'une montagne ou le beau milieu d'un désert sans doute, mais j'étais dans le comté de Bridgewater, au Montana. Cela n'avait rien d'une métropole bien sûr, mais enfin quand même. Les gens n'avaient-ils pas de téléphones portables dans ce bled ?

« Pourquoi voudrais-tu partir plus tôt ? » a-t-elle demandé.

Je soupirai et jetai un coup d'œil à l'horloge en forme de coq au dessus de la hotte. J'étais debout depuis treize heures d'affilée et je le ressentais.

« Je dois retourner au travail ». Le simple fait d'avoir vérifié ma boîte mail dans la réception de l'agence de location de voitures m'avait donnée une migraine. Farber laissait toujours mon dossier entre les mains de Roberts. Cela signifiait que plus je tardais pour rentrer, moins j'aurais de chances de le récupérer.

« Non, tu ne vas pas faire ça. Je vous connais bien, vous les avocats, à bosser soixante heures par semaine ».

Soixante ? Plutôt soixante-quinze, oui.

« C'est le Montana et nous sommes en juillet » poursuivit-elle. « Amusons-nous, comme quand nous étions enfants ».

Je sortis une miche de pain et du beurre de cacahuète du sac de courses.

« Mon Dieu, Cara, nous ne sommes plus des enfants et faire du vélo ou escalader un arbre, très peu pour moi ! ».

« À quand remonte la dernière fois que tu as fait du vélo ? » contra-t-elle.

J'y ai réfléchi. C'était probablement sur son vélo avec ses guirlandes.

« Tu es mariée et moi je suis, eh bien, mariée à mon boulot ! »

Cara rit à travers le téléphone. « La première étape, c'est de l'admettre. C'est pour ça que j'ai laissé une note pour que tu ne restes pas enfermée dans cette maison. Et être mariée ne signifie pas que l'on ne peut plus s'amuser ». Elle gloussa. « C'est même plutôt le contraire, en fait ».

Je me doutais de celle qu'elle avait en tête et cela me rendait un peu envieuse. Elle avait un homme qui la faisait rire à la simple mention d'être avec lui. Quant à Chad, ce connard, il avait été une perte de temps et il m'avait sucée le cerveau.

« Comment as-tu su que je serais ici ?» demandai-je, afin de changer le sujet de la conversation.

Je me dirigeai vers le frigo, mis le lait à l'intérieur, le fil du téléphone s'étirant jusqu'à en être tendu. Il n'y avait pas de nourriture dans le réfrigérateur à part une boîte de bicarbonate de soude ouverte, une bouteille de ketchup et cinq canettes de coca sans marque, le préféré de Charlie. Je ne savais pas si c'était parce que quelqu'un avait pris soin de nettoyer le frigo de toutes les denrées périssables. Je me souvenais que Charlie était loin d'être un cordon bleu, aussi n'était-il pas impossible que son frigo soit resté vide.

« Tu plaisantes ? Tout le monde sait ce qui se passe ici. Je suis désolée pour Charlie. Je l'aimais beaucoup. Mais je suis heureuse que tu sois de retour ».

Oui, Bridgewater n'avait pas beaucoup changé depuis mon enfance. La rue principale était pittoresque avec ses magasins traditionnels. Je passais devant l'étude de l'avocat afin de pouvoir la retrouver, mais il était difficile de se perdre dans une si petite ville. Les montagnes étaient à l'ouest, il n'y avait même pas la possibilité de perdre ses repères. Pendant que je conduisais, les conducteurs en sens inverse levaient un doigt sur le volant en guise de salutations envers tous les automobilistes qu'ils croisaient. C'était une habitude du Montana que j'avais oubliée, mais que j'aimais bien. J'aimais bien la façon dont les gens étaient amicaux, même envers les étrangers. Cela ne se passait pas comme ça à New York. C'était une course perpétuelle, personne ne prenait le temps de ralentir pour saluer une connaissance. Personne ne levait jamais les yeux de son téléphone. Mais à Bridgewater, les choses étaient différentes. Cara, qui ne m'avait pas vue depuis quinze ans, savait que j'étais de retour et avait tout de suite voulu entrer en contact avec moi. C'était surprenant pour moi. Inhabituel.

« J'adorerais te revoir. Sors avec moi ce soir ».

J'ai pensé à ma réunion du lendemain matin avec l'avocat de Charlie, plus tout le travail qui m'attendait. Mon ordinateur portable était aussi mort que mon téléphone sur la table de la cuisine. Pas d'internet du tout. J'avais cherché un câble ou autre chose, n'importe quel signe de technologie moderne, mais le téléphone de la maison attaché au mur - avec son fil enroulé - était le seul élément qui me reliait au monde extérieur.

Je pouvais être en mesure d'obtenir les détails de la vente rapidement, mais pas en une seule réunion. De plus, je devais vider la maison des effets personnels de Charlie afin de pouvoir la mettre en vente. Mon oncle avait vécu dans sa maison pendant quarante ans et cela se voyait. J'avais du pain sur la planche. Je gémissais mentalement en songeant à ma liste de choses à faire, qui semblait s'allonger indéfiniment.

Outre le travail sur la maison, rien d'autre ne serait fait ici. Je devais trouver un café ou un autre lieu où je pouvais me connecter pour mon travail. J'ai pris des jours de congés pour toute la semaine, mais cela ne voulait rien dire. *Les vacances* n'existaient pas pour ceux qui souhaitent devenir associé. J'avais encore du travail à faire ou bien Roberts aurait récupéré tous mes dossiers avant mon retour. Je ne pouvais qu'imaginer l'accumulation d'e-mails dans ma boîte de réception. Je pris mon portable pour vérifier si j'avais du réseau. Nada.

« Oui, bien sûr ».

En posant le sac de grains de café près de la cafetière, je pliai le sac d'épicerie en carton et le glissai entre le frigo et le comptoir - avec les vingt autres sacs.

« Génial. Rendez-vous au Barking Dog à huit heures ».

« Le Barking Dog ? »

« C'est un bar tout à l'est de la rue principale. Pas d'excuses ».

J'ai regardé autour de la cuisine et j'ai réalisé que la soirée allait être désespérément tranquille si je restais toute seule. On n'entendait aucune voiture, aucune sirène de police. Il n'y avait même pas de lampadaires. Une sortie ne m'aurait pas fait de mal, surtout si je pouvais bien faire avancer les choses avec l'avocat le lendemain. « Très bien ».

« Super ! ». Je pouvais entendre l'excitation dans sa voix.

« Hé, Cara ? »

« Ouais ? »

Je jetai de nouveau un coup d'œil à l'horloge en forme de coq. « Est-ce que l'un des cafés a de la wi-fi, ici ? »

Si je pouvais écluser un peu la tonne d'e-mails qui m'attendait, je me sentirai un peu moins coupable de passer un peu de temps avec Cara.

« Il y en a deux en ville et je suis sûr qu'ils ont Internet. Mais je pense qu'ils sont tous les deux fermés maintenant ».

« Il est quatre heures de l'après-midi ! ». Merde. Refermant la porte du réfrigérateur avec plus de force que nécessaire, je me demandais comment un café pouvait continuer à exister avec de tels horaires.

« Ils ouvrent à cinq heures du matin ».

Cinq heures. Je pouvais arriver à cinq heures du matin. J'étais de toute façon sur l'heure de la côte Est et je pouvais envoyer l'e-mail à mon boss avant même qu'il n'arrive au bureau. Après cela, je pouvais travailler quelques heures avant mon rendez-vous de dix heures.

« Je raccroche maintenant pour ne pas changer d'avis. Le Barking Dog. Huit heures ».

Après avoir remis le téléphone sur son socle au mur, j'allais remplir la cafetière au robinet de l'évier. Certaines personnes survivent grâce aux sucreries. Je survivais grâce au café.

5

ATHERINE

« Puisque tu possèdes la maison, tu devrais rester, ou au moins la garder et l'utiliser pour les vacances », me dit Cara en faisant tourner sa paille dans son verre.

Le Barking Dog était plus un pub qu'un simple bar, avec des banquettes, des tables hautes et même le bar d'origine avec le miroir derrière et le rail du comptoir en laiton. Les propriétaires avaient fait un travail fantastique pour lui donner l'apparence d'un saloon du Far West, mais sans les crachoirs ni les tables de poker.

J'avais rejoint Cara et son mari, Mike, sur l'une des banquettes.

Quand j'avais reçu le premier e-mail de l'exécuteur testamentaire de Charlie, j'avais immédiatement reconnu le nom. Sam Kane.

Bon Dieu. *Sam* putain de *Kane* .

J'avais été surprise, car il n'avait que quelques années de plus que moi, mais s'il était l'un des rares avocats en ville, il était logique que Charlie ait eu recours à ses services. Mais *Sam Kane*. C'était un simple béguin d'écolière que j'avais eu sur lui, le regardant furtivement à chaque fois qu'il traînait avec Declan, le frère de Cara. Ils avaient été au lycée ensemble et je me suis souvenue, quand j'étais chez Cara, qu'ils se faisaient des tonnes de trucs à manger tout en regardant des films.

J'avais été l'étrangère, venant de New York, et à l'époque je portais des bagues et j'avais les genoux noueux. Je n'avais même pas découvert de produits capillaires pour apprivoiser mes cheveux ondulés. Je n'avais même pas de seins. En tant qu'amie de leur petite sœur, je savais qu'ils ne m'avaient même pas remarqué. Pourquoi l'auraient-ils fait ? Le dernier été passée ici, j'avais seulement douze ans. Douze ans ! Quel lycéen regardait une fille de douze ans ? Comme je ne revenais plus l'été à Bridgewater, Sam Kane m'était sortie de la tête.

Mais maintenant... maintenant il remplissait toutes mes pensées. Était-il aussi mignon que dans mes souvenirs ?

« Allô la Terre ? Katie ? » gloussa Cara.

Je clignai des yeux, me recentrant sur mon amie et son mari. C'était étrange d'entendre ce surnom à nouveau. Mes parents ne m'avaient jamais appelée Katie. Je n'étais Katie qu'à Bridgewater.

Alors que Cara était une petite rousse avec des tâches de rousseurs et un teint de pêche, Mike avait un physique d'athlète et avec le bronzage qui allait avec. Si ce n'était son sourire rapide et les regards tendres qu'il envoyait à sa femme, j'aurais été un peu intimidée.

Je faisais tourner ma vodka-tonic autour de la serviette en papier. « Elle n'est pas encore à moi. Je dois signer l'acte demain ».

« Très bien », répondit Cara en agitant la main. « Vous autres avocats et vos signatures officielles. Elle sera bientôt à toi ».

« Cela me paraît bizarre de posséder quelque chose d'aussi loin de chez moi », répondis-je.

« Tu pourrais en faire ta maison. Une fois toute la paperasse signée, ce serait moins cher que de vivre à New York ».

J'avalais ma gorgée de travers. «*Tout* est moins cher que New York », ai-je répliqué.

Mike sourit.

« Je vis dans une boîte à chaussures, mais je n'y suis jamais, sauf pour dormir ».

Cara leva les yeux vers son mari. « Tu vois ? »

Je leur jetai un coup d'œil. « Quoi ? » demandai-je, un peu inquiète.

« Tu travailles trop », proposa Cara. « Tu dois laisser aller un peu ».

« Tu as un petit ami ?» demanda Mike.

Je me sentis rougir, mais j'espérais que cela ne se verrait pas avec l'éclairage tamisé. J'ai pensé à Chad, le trou du cul. « J'ai un ex-mari et ça suffit ».

« Tu ne peux pas laisser un seul mec te gâcher ta vie », Mike me fit remarquer. « Tu es jeune, intelligente, mignonne. Peut-être que ce sont les gars de New York. Comment s'appellent-ils, des métrosexuels, c'est ça ? ». Il but une gorgée de sa bière. « Qu'est-ce que ça veut dire de toute façon ? »

Cara et moi avons ri.

« Je pense que Sam Kane est à la recherche d'une partenaire », commenta Mike.

Je le regardais, les yeux écarquillés : « une partenaire ? »

« Vous êtes tous les deux avocats. Je suis sûr que tu pourrais facilement trouver des clients ici au lieu d'une grande firme qui vous laisse à peine le temps de dormir ».

Mike était éleveur et son travail consistait à gérer du bétail et son rythme de vie était très différent du mien. Il n'avait pas à prendre les transports en commun pour se rendre au travail. Pas d'heure de pointe. Pas d'heures supplémentaires ou de délais à respecter. Pas de messagerie instantanée, pas de textes de patrons excités, pas de boîte de réception surchargée. Juste de grands cieux et des vaches à perte de vue.

« Katie pensait que tu parlais d'un autre genre de *partenaire* », expliqua Cara, sa bouche formant un sourire.

Mike, confus, regarda sa femme un instant avant de comprendre. « Je me porte garant de Sam, Katie ».

« Bon à savoir », marmonnai-je en avalant une gorgée. Elaine voulait que je fasse l'amour de manière torride. Cara cherchait visiblement à me caser, et Mike à me trouver un emploi. Je n'avais même pas revu Sam depuis l'âge de douze ans et c'était comme si mes amis formaient un comité qui me donnait son approbation pour travailler avec lui, et plus important encore, pour baiser avec Sam Kane.

« Désolé je suis en retard ». Un type attrayant avec des cheveux blonds vint à la table, se pencha et fit la bise à Cara. Sur la bouche. Et avec la langue ? Et elle le laissa faire. Non, Mike et elle le laissèrent faire.

C'était. Quoi. Ce. Délire ?

Mon verre était à mi-chemin de ma bouche et je me figeai, mes yeux passant du Nouveau Mec à Cara avant de se fixer sur Mike.

Nouveau Mec murmura quelque chose à l'oreille de Cara et elle le regarda avec adoration, comme s'il était ... Mike.

Mike donna un coup de coude à Cara et tous les trois se tournèrent pour me regarder.

« Je t'ai dit qu'elle ne s'en souvenait pas », dit Mike.

Cara riait. « Katie, tu devrais voir ton visage ! ».

Je rougis et me sentis comme exclue d'une blague.

« Hum... ouais, bien... ».

Nouveau Mec secoua la tête. « Je suis Tyler, l'autre mari de Cara ».

Mike et Cara se décalèrent pour faire place à Tyler à côté d'eux. Il s'installa, Cara heureuse de se retrouver entre eux deux. Cheveux foncés, cheveux clairs, cheveux roux.

« Et merde », marmonnai-je, avant de prendre une grosse gorgée de mon verre. J'interpellai la serveuse et lui commandai une nouvelle tournée.

Cara rit et pencha la tête sur le côté. « Tu ne te souviens vraiment pas, n'est-ce pas ? »

« De quoi ? Que tu as deux maris ? ». Je me penchai et murmurai la phrase suivante, de peur que quelqu'un d'autre ne nous entende. « Je me serais souvenu si tu me l'avais dit, je te le promets ».

Mike secoua la tête. « Tu ne te souviens pas que Cara a deux maris ou que c'est très courant par ici ? ».

« La plupart des femmes ne...». J'ouvris la bouche pour ne pas être d'accord, mais je ne terminai pas ma phrase. Fronçant les sourcils, je regardai le bar, puis balayai du regard les familles assises dans la partie restaurant un peu plus loin. Il y avait beaucoup de tables avec une femme, des enfants et deux hommes. Pas toutes les tables, mais suffisamment pour que je déglutisse. De manière appuyée. Et merde ! Je jetai de nouveau un coup d'œil à Cara et à ses maris. « Mais Cara, tes parents... ».

« Tu te souviens de ma mère, évidemment, et de mon père, Paul ».

Je hochai la tête, car j'avais souvent joué chez eux et déjeuné. Le père de Cara avait même une fois réparé la chaîne de mon vélo. Charlie m'avait achetée un vélo de course rouge au cours du dernier été.

« Tu as déjà rencontré Frank ? »

« Oui »

« C'est mon autre père ».

« Ton autre... Il a dirigé ton ranch. Je... je pensais qu'il était le métayer ». Je me souvenais vaguement des parents de Cara et du métayer, mais je n'avais que douze ans à l'époque. Je n'avais jamais vu les trois parents de Cara ensemble, en tout cas pas dans mes souvenirs, mais ça ne voulait rien dire. Mes parents étaient seulement ensemble pour les dîners officiels et les événements caritatifs, du moins jusqu'à récemment. Ils avaient commencé à voyager ensemble quand j'étais au lycée. Des croisières en Méditerranée, des visites de vignobles en Bourgogne, des safaris en Afrique. Sans moi ! Je me sentais toujours comme une pièce rapportée, voire même une erreur. Ils avaient ignoré mon existence autant que possible, prenant le temps dans leur emploi du temps chargé de s'asseoir parmi les autres parents lors des fêtes d'école, puis plus tard, de venir à ma remise de diplôme. A ma sortie de la faculté de droit, ils étaient sur une croisière aux Bahamas, mais ils m'avaient envoyée un e-mail de félicitations. Je ne les avais jamais vus se toucher, ou s'embrasser ou même démontrer le moindre témoignage d'affection. Cara et ses maris me mettaient extrêmement mal à l'aise et, pour être complètement honnête, même un peu jalouse.

Cara acquiesça. « Frank dirige le ranch. Mais c'est *leur* ranch ».

« Mais toi... ». Je pointai mon doigt vers eux, tous l'air parfaitement à l'aise. Ils ne plaisantaient pas, et j'avais sous les yeux le témoignage d'un amour parfait.

« Si tu regardes autour de toi, tu t'en rendras compte. Pas seulement dans le bar. Toute la ville aussi ».

Je jetai de nouveau un coup d'œil aux autres tables, regardant les femmes, s'attendant à ce que la moitié d'entre elles aient une enseigne lumineuse clignotante au-dessus de leur tête qui disait qu'elles avaient deux maris !

« C'est illégal », ajoutai-je. Je me sentis mal. Je secouai la tête. « Désolé, mais tout cela est tellement fou ».

La serveuse apporta notre commande et j'étais contente d'avoir un autre verre devant moi Je pouvais sentir les effets de mon premier verre et j'appréciai la chaleur de l'alcool qui me traversait l'estomac.

Après avoir pris la commande de Tyler, la serveuse repartit et tous les trois me regardèrent avec attention. Et ils n'avaient pas tort. J'avais des questions.

« Est-ce que toutes les femmes de Bridgewater épousent deux hommes ? ».

Tous les trois secouèrent la tête. Mike leva le bras et le plaça derrière le long du dossier de la banquette derrière Cara. Il se sentait parfaitement à l'aise. « Pas tout le monde. Certaines femmes n'épousent qu'un seul homme, d'autres en épousent trois. Ce n'est pas inhabituel, c'est juste... *normal* pour nous ».

Je ne savais pas trop en quoi le polyamour était *normal*, mais à la façon dont Mike et Tyler regardaient Cara, je devinais qu'ils étaient heureux.

« Oui, mais...». Je jouai avec mes doigts, pensant à leurs rapports sexuels.

« Tu parles de nos rapports sexuels ? » demanda Cara, comme si elle lisait dans mes pensées. Elle sourit, puis regarda un des hommes, puis l'autre.

« Fais gaffe à ce que tu dis, mon chou » dit Tyler en posant sa main sur la sienne.

« J'allais dire...» elle lui jeta un regard malicieux « que c'est génial.Quelle femme ne voudrait pas que deux hommes prennent soin d'elle ? Tu devrais essayer ! ».

Cara se tortilla sur son siège, ses joues roses d'excitation.

« Ce n'est pas pour tout le monde » murmura Tyler.

Je ris. « Je pense que je vais d'abord essayer avec un seul. Deux ? C'est un peu exagéré pour moi ».

« Il y a un gars au bar qui te mate » dit Cara en inclinant le menton dans sa direction.

Sans aucune subtilité, nous nous tournâmes tous dans sa direction.

Je le reconnus immédiatement, puis soupirai. « Ce n'est pas un homme, c'est ton frère », grognai-je.

Cara rit. « N'empêche; il te fait signe et veut que tu lui dises bonjour ».

Je soupirai, me glissai de mon siège. « Attendez, est-ce que lui et un autre homme partagent une femme ? ».

« Célibataire », répondit Cara.

« Je vais aller lui parler et commander une autre tournée ».

Mike leva son verre, presque plein. « Prends ton temps. Si

Declan n'est pas ton homme, attends encore un peu. Tu vas être comme une fleur parmi les abeilles, ma chérie ».

Je jetai à Mike en regard en coin.

« Ne fais rien que je ne ferais pas» gloussa Cara.

Coincée entre deux hommes, dont l'un et l'autre étaient ses maris, je ne pouvais qu'imaginer ce qu'elle *faisait*.

6

ATHERINE

En marchant vers Declan MacDonald, je réfléchissais à ce que je venais d'apprendre. Deux hommes ! Cara était mariée à Mike et à Tyler. Mon Dieu, comment cela se pouvait-il ? Évidemment, j'avais entendu parler de parties fines à trois, mais il s'agissait juste... d'un truc pour un soir, non ? Couche avec deux mecs en même temps, ça c'est fait... fantasme suivant, s'il vous plaît. Redescendre sur terre. Suivre les règles. Trouver un mec bien, s'installer, se marier. Mais Cara était *mariée* à deux hommes. Mariée. Genre, jusqu'à ce que la mort les sépare. Ils dormaient tous dans le même lit ? Ou alors...

« Hey, poussin ». Declan m'attira à lui pour une grande embrassade. Il était aussi grand que je m'en souvenais, mais il avait également forci. Avec un teint similaire à celui de Cara, il ne faisait aucun doute qu'ils étaient frère et sœur.

« Bon dieu, Declan, ça fait si longtemps ». Même s'il était plus âgé que Cara et moi, il avait toujours été gentil avec nous au lycée, nous laissant même parfois traîner avec lui. Il avait gardé un œil sur moi quand je savais que mes parents ne s'occupaient pas de moi. Je n'avais pas de grand frère et, enfant, c'était un peu le rôle que je lui avais donné.

Il me repoussa, posa ses mains sur mes épaules et me regarda avant de froncer les sourcils. « Pas de bague au doigt ? Qu'est-ce qui ne va pas avec les hommes de New York ? ».

Tout le monde avait un problème ou quoi ? Pourquoi tout le monde se souciait autant de mon statut de femme célibataire ? J'étais divorcée, pas atteinte d'une maladie incurable. Avais-je l'air si seule et désespérée ?

Inclinant ma tête sur le côté, je contemplai sa main. « Pas d'alliance toi non plus. Tu n'as pas trouvé de femme... et un autre mec avec qui la partager ? ».

Son sourire retomba un peu et son regard devint sérieux. « Tu ne savais pas ? ».

Je secouai la tête et me mordis la lèvre. « Je ne m'en souviens pas. Ou, quand je revenais ici, j'étais trop jeune pour comprendre. Je viens de le découvrir. Vraiment ». Jetant un coup d'œil à Cara, je vis qu'elle souriait aux paroles d'un de ses maris, leur tête inclinée vers la sienne. C'était évident qu'ils étaient ensemble. « Ça ne te dérange pas ? Pour Cara, je veux dire ?».

Declan me relâcha, puis me demanda de m'asseoir sur l'un des tabourets au bar. « Je préfère *ne pas* penser à Cara dans les bras d'un homme, mais Mike et Tyler sont bons avec elle ».

« Deux hommes ? »

« C'est comme ça à Bridgewater. C'est comme ça depuis plus d'un siècle. Enfin quoi, toute la communauté est fondée sur ce principe. C'est accepté, encouragé même. Personne ne divorce ».

« Mais deux hommes ! » répétai-je en agitant ma main dans les airs. « Sérieusement ? Ce n'est même pas légal ».

« J'ai entendu dire que tu étais devenue avocate ». Comme si cela expliquait ma réponse. « En fait un seul d'entre eux épouse la femme. Le reste n'est qu'un accord mutuel ».

« Et quel accord. Je ne pouvais pas supporter mon ex-mari. Alors, quant à en avoir deux... ».

Declan sourit. « Tu serais surprise, poussin. On nous a élevés à toujours considérer les femmes en premier, dans tous les domaines. Nous les protégeons, les chérissons, les aimons. L'amour courtois puissance mille, en quelque sorte. Quand un homme trouve la femme qui lui sied, il n'y a pas de retour en arrière possible. Peux-tu en dire autant de ton ex ? ».

J'ai ri en pensant à Chad. Amour courtois ? Protection ? « Non, pas son genre ».

« Tu t'es juste trompée de mec. Ou mecs... ». Je pris l'air sceptique, mais il continua. « Tu aimes les films de science-fiction ? ».

J'ai haussé les épaules, confuse par le changement de sujet. « Absolument ». Je ne me rappelais pas la dernière fois où j'étais allée au cinéma, mais j'étais tout à fait capable d'imaginer Star Trek ou des petits hommes verts.

« C'est comme un rayon aspirant. Quand un mec a des vues sur une nana, elle est comme attirée. Il ne vacille pas, ne doute pas. Ne triche jamais, ne se détourne jamais de son chemin. C'est ... puissant ». Il leva les yeux et son sourire s'élargit encore plus. « Un peu comme ça ».

Je me retournai et découvrit un homme que je ne connaissais pas qui s'approchait de nous. Un mec chaud, magnifique, viril et éblouissant. Un beau mec dans toute sa splendeur. Il hocha la tête vers Declan alors qu'il s'asseyait sur le tabouret à côté du mien, mais son attention ne faiblit pas longtemps. Il prononça un bref, « Dec » et son regard intense se posa à nouveau sur moi.

« Salut. Je suis Sam Kane ». Il tendait sa main droite comme un être humain parfaitement raisonnable.

Moi ? Je restais figée alors que j'encaissais son nom - lentement. *Sam Kane.*

Sam était grand et large comme un joueur de football avec la beauté d'un mannequin en couverture de magazine. Son nez était légèrement courbé, lui donnant un air un peu dangereux, comme s'il avait connu une ou deux bagarres de bar. Tout en lui suintait le cow-boy - malgré son costume tiré à quatre épingles.

Son bonjour mit à peu près autant de temps à arriver à mon esprit que de la mélasse glacée à travers une paille. Je savais que je devais dire quelque chose, mais bon sang, je n'arrivais même plus à parler. C'était encore pire que mon pétage de plomb dans l'avion avec Mister Cow-boy. Oui, j'étais bel et bien incapable d'ouvrir la bouche. J'étais désormais très douée pour me sentir mal à l'aise devant des mecs sexy. Bravo !

Sam Kane avait été mignon quand j'avais douze ans. Et maintenant, il était encore plus canon !

Avec un petit rire et une main protectrice sur mon épaule, Declan fit les présentations. « Sam, tu te souviens de Katie Andrews... ça remonte au lycée ! Katie, voici Sam ».

Je plaçai ma main beaucoup plus petite dans sa large paume et finalement je me souvins de respirer alors qu'il la pressait doucement. Des picotements remontèrent le long de mon bras et j'espérais qu'il ne lâcherait jamais ma main. C'était lui l'adolescent dont j'étais énamourée ? Merde, ce n'était *plus* un adolescent. Il était devenu une invitation à se désaper devant lui et lui faire l'amour sur le champ.

« Salut. Je... je pense... que vous êtes l'avocat qui s'occupe de la succession de mon oncle ? Charlie Willis ». Pas mal. J'avais réussi à ne pas trop bafouiller.

Son regard se rétrécit et je vis l'analyse fulgurante se dérouler derrière ses yeux noirs avec une fascination qui me laissait pantoise. « Oui, et vous êtes mon rendez-vous de dix heures demain ».

Hochant la tête, je fixai la façon dont ses cheveux noirs se courbaient pour couvrir la moitié de son front, inspectant les lignes acérées de son visage et de sa mâchoire carrée jusqu'à ce que mon attention se porte sur ses lèvres pleines. Elles semblaient dures, mais fermes, comme j'imaginais que ses baisers seraient agressifs, violents et dominant tous les sens.

Ma raison partit s'enfermer quelque part à double tour, mais qui pouvait m'en vouloir ? Il était devenu plus ouvert, plus épanoui. En fait, il était magnifique. Je tirais ma main et me raclais la gorge. C'est quoi le truc avec les cow-boys du Montana ? Était-ce l'eau ? Tout le grand air et le soleil ? Le lait sans hormones ? Me tournant vers le bar, je bus une gorgée et essayais de faire bonne figure. « Dix heures. Oui. C'est un plaisir de vous revoir ».

Un plaisir ? Le revoir était comme un coup de taser à ma libido.

Me tournant vers Declan, je fus surprise de découvrir le tabouret vide. En regardant autour de moi rapidement, je m'aperçus qu'il avait pris ma place à la table de Cara, où, avec ses maris et elle, ils levèrent leurs verres dans ma direction, comme s'ils me donnaient la permission de flirter avec Sam. Seule.

Apparemment, Sam les avait vus aussi. Le doux son de son rire amusé fit battre mon cœur. « On dirait qu'on m'a donné la permission de t'acheter un verre, Katie. T'en dis quoi ? ».

« Mon verre est plein ». Oh, ouais. Très bonne réponse. Imbécile ! Je sentais la chaleur monter en moi, mais je ne pouvais pas faire abstraction de ce qui venait de se dérouler. Jack dans l'avion, avec sa masculinité flagrante, son sourire de play-boy et son corps solide comme le roc, m'avait poussée si loin que je n'avais aucune chance de résister à Sam.

Je pris une profonde inspiration, avant d'expirer lentement. Je pouvais le faire. Je pouvais parler à un mec mignon sans passer pour une cruche totale. J'avais un diplôme en droit. Si je pouvais défendre une affaire devant le plus impitoyable des juges, j'étais tout à fait capable de parler à un mec mignon dans un bar. Et ce n'était pas n'importe quel mec, mais bel et bien Sam Kane.

Peut-être était-ce à cause de Jack dans l'avion que je pris la décision de me lâcher avec Sam. J'avais merdé avec lui - dans les grandes largeurs - et je n'allais pas rater ma chance une seconde fois avec ce beau gosse trouvé sur mon chemin. Et tout ça le même jour.

Mon Dieu, il portait un costume et une cravate bleu marine. Sa chemise de couleur crème et son pantalon au pli parfait étaient autant de signes que cet homme était comme moi, un professionnel exigeant, un individu motivé qui prêtait attention aux détails. Ajouté à cela, son faux air de star du cinéma et le fait qu'il semblait intéressé... mon cerveau était en ébullition. Je n'avais jamais été douée pour flirter même quand mon cerveau était en état de marche.

« Un costume et une cravate. Je pensais qu'il n'y avait que moi qui était trop habillée ». Je portais une jupe avec des talons de quinze centimètres. Dans un bar. Dans un trou paumé du Montana.

Il sourit. Avec ces dents blanches et droites et sa bouche qui formait un léger pli aux extrémités, je mouillai déjà.

Mon téléphone portable choisit ce moment-là pour sonner dans mon sac à main. Résignée à l'inévitable, je fouillai dans mon sac pour le prendre. Je glissais mes pouces sur l'écran, une fois, deux fois. J'ai lu l'e-mail. Les effets de l'alcool s'estompèrent instantanément et mon cerveau se remit en mode hyperactif.

« Excusez-moi », dis-je à Sam, mais j'avais les yeux sur l'écran et l' e-mail de deux paragraphes qui ne pouvait être ignoré. Je n'aurais pas dû venir dans ce bar, ni prendre des jours de congé. Merde, pourquoi n'y avait-il pas d'Internet chez Charlie ? Je n'aurais pas du manquer ça. Merde, si je pouvais juste résoudre ce tout petit problème...

La grande main de Sam s'enroula autour de mon poignet.

« Laisse tomber », murmura-t-il à mon oreille.

Je secouai la tête, concentrée sur mon dossier, les documents qui devaient être préparés, l'injonction... « Je ne peux pas. C'est un e-mail important et j'ai juste besoin de... ».

« Le boulot ? Oui, je sais. Je suis aussi avocat. Tu te rappelles ? Crois-moi, ça peut attendre ».

Mon dos se raidit alors que je levai les yeux vers lui. Son regard sombre était fixé sur moi. Pas de téléphone à la main, pas d'yeux sur un foutu écran de la taille d'une main. Il n'était pas concentré sur son travail. Il était concentré sur moi.

« Ça *ne peut pas* attendre. As-tu une idée de ce qui se passe dans mon petit monde pendant que je suis assise ici avec toi ? ». Je levai le téléphone et secouai la tête.

« Ouais, je sais très bien. Ton boulot est toujours une priorité absolue, et vous êtes toujours sur le pied de guerre avec l'équipe d'en face. Je peux pratiquement voir la fumée sortir de tes oreilles, tellement tu cogites ».

Oui, ça résumait à peu près bien les choses.

« Combien de verres as-tu bu ? ».

Je fronçai les sourcils. « Deux ».

Il me regarda. « Et tu es toujours aussi tendue. Tu as besoin de te détendre».

J'étais énervée et je me préparai à partir. Ce n'est pas parce que je vivais avec une dose énorme de stress que mon travail n'était pas important pour moi. Cara et ces hommes pouvaient bien se porter garant de Sam, il n'en était pas moins un abruti. « Et si j'étais un homme, tu dirais que je suis une personne motivée par sa carrière et non complètement débordée. Écoute, Sam, je n'ai pas besoin de toi pour me parler de mon travail. Et me dire quoi faire ».

Il sourit à nouveau. Connard prétentieux.

« Si, je pense en fait que si. Et mon commentaire n'était pas misogyne. Les femmes ont plus de couilles que la plupart des hommes, et vous faites le même boulot avec des talons-aiguille super sexy ». Il jeta un coup d'œil le long de mes jambes jusqu'à mes talons-aiguille impitoyables que je portais habituellement. « J'ai déjà été avocat dans une grande ville et j'étais tellement tendu que j'aurais fini par avoir une crise cardiaque avant trente ans ». Il m'étudia à nouveau avec ce regard noir intense. « Je pense que tu as besoin de quelqu'un pour t'aider à décompresser ».

« Mais - »

Sam m'enleva mon téléphone portable de ma main, le leva dans les airs, et la seule façon pour moi de l'atteindre était de grimper sur le tabouret. Je voulais récupérer mon téléphone mais je refusais de me plier à son petit jeu.

« Nous pouvons débattre toute la soirée. Bon sang, ce serait même amusant et sans doute même excitant. Mais il est neuf heures du soir. Et même plus tard à New York. Le travail peut attendre ».

D'un geste habile, il glissa mon téléphone dans sa poche arrière. Je regardais son cul.

« Essaye de le prendre. Fais-moi confiance, ça va me plaire ».

Un autre putain de sourire. Connard arrogant.

Je plissais les yeux.

Il tourna son doigt vers moi. « Cette routine d'avocate coincée fait probablement peur aux gens. Je trouve ça super excitant. Cette tenue est ton armure, non ? Allons danser ».

Il ne me laissa pas l'opportunité de le contredire, il m'emmena sur la petite piste de danse et posa ses mains dans le creux de mon dos. Nous étions proches. Très proches. Je pouvais le sentir, pas un parfum capiteux, mais un savon qui sentait le plein air et le mâle, le vrai.

Une tape sur mes fesses me fit sursauter.

« Détends-toi. Dé-tends-toi ».

Je plissai les yeux, prêt à le frapper à mort avec une phrase qui l'aurait cloué sur place.

« Tu n'arriveras à rien d'autre qu'à te faire embrasser avec ce regard. Danse ! ».

Je pris une profonde inspiration, et expirai à nouveau. J'avais les mains de Sam Kane sur moi, ses pouces caressant la partie supérieure de mes fesses. En parlant de mes fesses, je ressentais encore sa tape sur mon fondement.

« J'ai déjà tué des gens avec mon talon aiguille », l'avertis-je, tout en commençant à danser.

« Tu as sans aucun doute toute une série de cadavres dans ton sillage ». Il déplaça ses hanches, glissa sa jambe entre les miennes, faisant remonter ma jupe moulante sur mes cuisses. Je chevauchais pratiquement sa cuisse, ce qui n'était pas pour me déplaire.

« Le fait est, poupée, que c'est encore un truc qui m'excite ».

J'ai ri, essayant de dissimuler mon désir grandissant. Qui aurait pu imaginer qu'une engueulade pouvait être aussi sexy ? Et toute notre discussion me faisait tortiller mon cul et je sentais le désir monter dans mon intimité la plus profonde. Ma libido me chantait, non, m'intimait, de presser mon corps contre sa poitrine et ma cuisse contre sa cuisse. Je voulais que ses mains descendent un peu plus bas, pour se caler sur mon cul. Je voulais enfouir mon nez dans son cou et emplir mes poumons de son parfum subtil. Pour être totalement honnête, je voulais qu'il me prenne consciencieusement au point d'oublier toutes les conneries qui m'attendaient à New York. Je voulais oublier le travail, la vie, et le connard au bureau qui était probablement, en ce moment même, en train de me piquer mes clients.

« Arrête de cogiter, poupée, ou je vais devoir te donner de nouveau la fessée ».

SAM

« Tu es un connard misogyne », marmonna-t-elle.

Mes mains la pressèrent plus fermement contre moi. Elle ne pouvait pas manquer de ressentir ma queue, dure comme du roc, contre son ventre. Même avec ses talons aiguille, elle était minuscule. Elle n'était pourtant pas minuscule, elle avait des courbes voluptueuses que je prenais plaisir à tenir entre mes paumes. Ses seins s'écrasaient contre ma poitrine et je jure que je pouvais sentir ses mamelons durcir.

Je ne savais pas pourquoi son attitude me faisait grave bander, mais c'était le cas. Elle n'était pas timorée. Et elle n'était certainement pas non plus réservée. D'après les e-mails que nous avions échangés sur la succession de son oncle, elle avait des horaires de dingue. Cela lui avait pris un mois simplement pour réorganiser ses rendez-vous et arriver à caler ce voyage. Elle fonçait à tombeau ouvert, tout en oubliant où se trouvait la pédale de frein. Cela me donnait l'impression d'être celui qui lui permettrait de ralentir un peu.

« Allons-y, poupée ».

Je l'ai tirée de la piste de danse, l'entraînant avec moi à travers le bar et dans le couloir près des toilettes, puis dans un recoin près de la sortie de secours. Les lumières ici étaient sombres, la musique plus calme. Même si quelqu'un pouvait nous surprendre, personne ne penserait à passer devant les salles de bains, sauf s'il y avait un feu.

Je l'ai poussée contre le mur, mes mains sur ses hanches la tenant bien en place. Même avec la faible lueur verte du panneau de sortie de secours je pouvais voir ses yeux s'élargir.

« Connard, définitivement. Misogyne ? ». Je secouai la tête, regardai ses lèvres entrouvertes. « J'aime les femmes. Même celles qui piquent plus qu'un cactus. Mais comme je l'ai dit, tu dois te détendre et je suis celui qui va t'aider à y arriver ».

« Oh vraiment ? Et comment ça ? Avec un bon-cadeau pour un massage ? Des cours gratuits de yoga ? J'ai déjà tout essayé, tu sais ».

Je secouais lentement la tête. « Le yoga ? Sûrement pas ! Même si je parie que tu dois être sacrément bonne dans une de ces tenues moulantes en lycra. Tu as besoin de jouir plusieurs fois de suite. Cela devrait te détendre ».

« Et tout ça grâce à toi, j'imagine ? ».

« Absolument. Juste ici dans ce couloir ».

Elle pensait que je déconnais. Mais ce n'était pas le cas. Elle avait besoin de jouir sur mon visage. Cela la calmerait un peu. Elle regarda autour de nous, mais nous étions définitivement seuls. « Ici ? Hors de question ! Je ne suis pas ce genre de fille ».

« Je m'en doutais bien, tu sais ».

« Tu dois savoir comment te comporter dans une salle de tribunal, mais ici ? ». Elle agitait sa main entre nous deux, bien que je ne lui ai pas donné beaucoup d'espace pour le faire. « Tu auras sans doute besoin d'un livre de droit, ou un truc du genre. Pas de ça avec moi ».

J'aurais parié que sa culotte était trempée. J'allais le découvrir par moi-même, car même si elle contrôlait la situation, cela n'allait pas se passer comme ça.

« Je t'ai prévenue, poupée. Ne me provoque pas, parce que sinon, je vais me fâcher ». Ce faisant, je glissai une main entre ses jambes et je pouvais sentir sa chaleur à travers sa jupe et sa culotte. Ouais, sa culotte était trempée. « Je vais appuyer sur ce bouton... juste ici ».

Je passai mon doigt le long de son petit clitoris enflé et elle haleta.

« Je te déteste » dit-elle, sa voix haletante.

« Vraiment ? Ta chatte semble bien dire le contraire».

Elle pressa ses hanches contre ma paume et me supplia. « S'il te plaît ».

« Comme ça, c'est bien», murmurai-je en me penchant sur l'ouvrage qui m'attendait.

7

ATHERINE

MAINTENANT

« OH, MON DIEU ». Alors que l'orgasme disparaissait et que la réalité revenait, je me dépêchai de baisser ma jupe alors que Sam se levait. Utilisant le dos de sa main, il essuya sa bouche, qui était humide de mon excitation. Il m'avait fait jouir uniquement avec sa langue... les baisers attentifs de son cousin, le duvet rugueux des favoris de Jack, les mots cochons qu'il me chuchotait à l'oreille... Ma chatte frissonnait encore de plaisir.

Debout - non, penchés - devant moi se trouvaient deux hommes magnifiques qui, ensemble, m'avaient donnée le meilleur orgasme de ma vie. *Oh. Mon. Dieu.*

Ils souriaient tous les deux, bien sûr. Connards.

Ce n'était pas du tout dans mes habitudes de me faire entraîner par un type, à l'arrière d'un bar, pour ensuite me faire baiser. Oui, ça ne m'était jamais arrivée auparavant. Je n'avais même jamais *fantasmé* là-dessus auparavant. Et je n'étais pas prête d'oublier cette expérience ! Sam ne m'attirait même pas, mais il était vraiment canon, et à sa manière, il m'avait rendue complètement folle. Folle de désir.

« J'ai aimé avaler les sons de ton plaisir, ma chérie », me dit Jack de sa voix arrogante.

Je sentais que je devenais toute rouge, et pas uniquement parce que je venais de jouir sur son visage. Je ne voulais pas le regarder. Je savais qu'il me regardait. Je le sentais.

Quand il nous avait surpris, il n'avait pas été choqué par cette situation si compromettante. Non, il n'avait même pas été en colère envers son cousin. Il avait hâte de participer. De participer ! Avec sa position détendue, une épaule contre le mur, je ne savais pas depuis combien de temps il regardait Sam me lécher, depuis combien de temps il m'avait vue tirer sur les cheveux de Sam pour lui faire bouger la tête où je voulais qu'elle soit. J'étais allée trop loin pour m'imaginer qu'il viendrait et se joindrait à nous. Et quand il m'avait embrassée, oh merde... Je n'avais jamais joui comme ça auparavant.

Sam lui donna un coup de coude alors qu'il passait sa langue sur sa lèvre inférieure. « J'ai fait tout le travail ».

« Ouais, et tu dois goûter sa chatte », grommela Jack.

Sam sourit. « Évidemment ».

« Vous êtes cousins ? ». Ils ne se ressemblaient en rien. Bien sûr, ils étaient tous les deux grands, mais la comparaison s'arrêtait là. Jack était blond alors que Sam était brun. Jack semblait frivole et Sam était le mec sérieux. L'éleveur de chevaux et l'avocat.

« D'accord ! Nos pères sont frères », déclara Sam. Il leva son menton vers moi. « Et tu es la fille dans l'avion. Jack m'a tout dit à propos de toi. Sauf qu'en vrai, la fille de l'avion, c'est Katie Andrews ».

« Katie Andrews qui venait de New York pour nous visiter... ah, tout a un sens maintenant », répondit Jack en passant ses doigts sur sa mâchoire. Je pouvais entendre sa main passer sur poils malgré la musique du bar en sourdine. « Je voulais te trouver et te présenter à Sam, Catherine, mais nous nous connaissons tous *bien* maintenant ».

J'ai remonté mes mains pour couvrir mes yeux. « Je ... je n'arrive pas à croire ce que je viens de faire ».

Sam se rapprocha, et dit dans un murmure sombre. « Quoi ? Jouir partout sur mon visage ? ».

Sa phrase avait dissipé mon embarras. Je rentrai mes mains et plissai les yeux. « Mon Dieu, tu es tellement cru. Je dois retourner voir Cara », murmurai-je.

« Cara Smythe ? », demanda Jack. « Ouais, elle et ses maris sont partis ».

« Quoi ? ». Mes yeux faillir sortir de leurs orbites. « Ils ... ils sont partis ? ».

Jack écarta les cheveux de mon visage. « Ils ont du croire que tu étais entre de bonnes mains ».

« Ouais, les miennes », dit Sam, caressant mon bras avec ses doigts. J'écartai sa main.

« Tu as commencé un peu trop tôt, c'est tout » ajouta Jack. Pourquoi se tenaient-ils si près ? « Tu sais, poupée, je t'ai cherchée partout dans la ville ».

« Ah ouais ? » demandai-je. Il m'avait cherchée ?

Sam recula et Jack s'approcha, pressant son corps contre le mien. Je sentais chaque centimètre carré de lui, tout comme Sam lorsqu'il m'avait baisée la première fois au fond du couloir. Je devais incliner la tête en arrière pour fixer son regard. « Ouais. Si tu veux de la bonne baise, je suis celui qu'il te faut ».

« De la bonne baise ? » haletai-je, puis je le repoussai de ma main, me souvenant de ce qu'Elaine avait écrit dans ses messages dans l'avion. « Tu lisais mes messages sur mon ordinateur portable ! ».

« Bébé, ton amie voulait que tu te détendes. Que tu baises avec un cow-boy du Montana. Je me suis dévoué ».

Sam s'éclaircit la gorge. « Nous nous sommes dévoués ».

Ma bouche s'ouvrit, et je tournai la tête pour que je puisse les regarder tous les deux. Deux magnifiques exemples d'être humains. « Vous pensez que je devrais tout simplement coucher... avec vous deux ? Je n'ai jamais ... je veux dire, c'est... ».

Jack regarda à gauche, puis à droite. « Nous sommes dans le couloir à l'arrière d'un bar et tu viens de laisser Sam te bouffer la chatte. Heureusement que j'étais là pour t'embrasser parce qu'avec tous les cris que tu poussais, tu aurais rameuté tout le bar. De plus, tu semblais être d'accord pour que je participe à la fête ».

Je pinçai mes lèvres et lui lançai un regard qui, je l'espérais, le ferait reculer.

« Whoa, quel regard ! ». Jack recula suffisamment pour que je puisse respirer profondément.

Sam rit. « Ouais, la faire jouir était supposée la détendre un peu. On dirait que ça n'a pas fonctionné ! Ce regard de tueur, poupée, ne marche pas non plus sur lui. Nous savons ce que tu veux. Plus d'orgasmes. Bon sang, tu en as sacrément besoin. Laisse-nous te les donner ».

« Vous ne savez rien de moi », ai-je répliqué.

« Je sais que tu as un goût de sucre et que quand tu jouis, c'est divin ». Sam leva sa main droite et la porta à sa bouche, avant de lécher un doigt, puis un autre. « J'ai encore ton goût sur mes doigts ».

J'ouvrai la bouche en grand et failli jouir à ce moment-là. Je n'en croyais ni mes yeux ni mes oreilles.

« Bébé, je veux que tu me chevauches comme tu l'as fait dans l'avion », dit Jack. « Mais dans mon lit et nue ».

« Arrête de m'appeler comme ça ». Je ne savais pas contre qui j'étais en colère, eux ou moi. Ce n'était pas leur faute si j'avais perdu la tête et fait ce que j'avais fait avec eux. J'étais surtout en colère contre moi-même pour avoir cédé aux charmes de Sam, et aussi pour ne pas l'avoir poignardé avec mon talon-aiguille. Bien sûr qu'il était sexy. Bien sûr, il savait *exactement* comment s'occuper de moi avec sa langue. Ça ne voulait pas dire que j'avais cédé, n'est-ce pas ?

Je les toisai et partis en direction du bar. Je traversai le bar en faisant attention de ne croiser le regard de personne - je craignais que les clients ne devinent ce que je venais de faire - et je sortis sur le parking. Le soleil se couchait sur les montagnes et l'air était plus doux. Plus froid, en fait. Cela me rafraîchissait agréablement.

« Tu as peur », me dit Jack derrière moi et je sursautai.

Je secouai la tête et fixai le magnifique coucher de soleil. Je ne pouvais penser qu'à une seule chose, et c'était ridicule : pourquoi ne faisait-il pas nuit alors qu'il était neuf heures du soir ? Et pourquoi m'étais-je tapée deux mecs dans un bar ? Mon esprit me hurlait de m'enfuir mais ma chatte en voulait encore plus.

« J'aurais dû deviner que tu me suivrais », dis-je en soupirant.

« Tu penses qu'on t'aurait laissée marcher seule jusqu'à ta voiture ? Je ne sais pas comment font les hommes dans les grandes villes, mais ici, un homme prend soin de sa femme ».

Je me retournai sur mes talons hauts. « Je peux prendre soin de moi-même ». Croisant mes bras sur ma poitrine, je le toisai.

Sam marcha lentement vers moi. « Je n'en doute pas une minute. Mais pourquoi le voudrais-tu ? ».

Jack se déplaça pour se tenir aux côtés de Sam. Certains clients sortaient du bar et se dirigeaient vers leurs voitures et je restais silencieuse jusqu'à ce que les portes de leurs voitures se soient refermées.

« Parce que mon vibromasseur est moins bavard que vous deux ».

Sam rit tout en jouant mon jeu : « Mon Dieu, j'adore les femmes avec du répondant ! ».

Mon portable sonna à ce moment-là. Sam le tira de sa poche, et regarda l'écran.

Je m'avançai pour essayer de lui retirer des mains. Et ce connard ne trouva rien de mieux que de le donner à son cousin.

Je me suis sentie paniquer à la vue de mon téléphone,

l'entendant sonner et n'étant pas en mesure de prendre l'appel. « J'ai besoin de ça ».

Jack secoua la tête. « Non, tu n'en as pas besoin ».

« C'est peut-être Cara ».

« Ce n'est pas l'indicatif du Montana, donc ce n'est pas un appel urgent ».

« Mais ça pourrait être mon travail ».

« Et il est neuf heures sur la côte est, en tenant compte du décalage horaire. Ils peuvent attendre ». Jack le glissa dans la poche de sa chemise.

Ma bouche s'ouvrit alors que mon téléphone disparaissait.

« Tu sais ce qu'elle fait ? » demanda-t-il à son cousin.

« Ouaip ». Jack croisa les bras sur sa poitrine en m'imitant.

« Quoi ? » lui répondis-je, confuse. Ils étaient tous les deux impitoyables. Ensemble, ils étaient mortels. « Qu'est-ce que je fais de plus que d'essayer de récupérer mon putain de téléphone ? ». Je frappai du pied sur le trottoir.

Jack hocha la tête. « Pas de gros mot, s'il te plaît ».

« Connard ».

Jack me regarda d'un air amusé. Mes tétons se durcissaient alors que j'imaginais ce qu'il pouvait me faire.

« Comme tu te mets en colère, nous allons prendre les décisions à ta place », dit Sam en prenant ses clés de sa poche. Une voiture bipa sur le parking

« Vous pourriez être tous les deux des tueurs en série ». J'en doutais fort, mais si c'était le cas, j'imaginais que nous allions baiser d'abord, puis ils me découperaient en morceaux.

Jack sortit mon portable de sa poche et joua avec. Il le plaça contre son oreille.

« Qu'est ce que tu... ? ».

« Cara, salut, c'est Jack Kane. Ouais, Katie est ici avec moi. Elle sera avec nous, donc si tu n'as pas de nouvelles d'elle d'ici demain, pas de panique. Elle passera la nuit avec les cousins Kane ».

Il mit fin à la conversation et remit le téléphone dans sa poche.

Je ne pouvais pas m'empêcher de rire de l'audace de l'homme, prenant mon téléphone en otage. Et je me sentais gênée. « Oh, Mon Dieu. Comment as-tu pu oser dire ça ? ».

Jack tendit sa main. « Allons-y, mon cœur. Nous allons t'offrir une nuit avec plein de souvenirs à raconter à ta copine Elaine ».

Il avait une vision parfaite ou quoi, pour être capable de lire tous mes messages comme ça ? « Et je pourrais récupérer mon téléphone, après ? ».

Sam rit, secouant lentement la tête. « On ne te baise pas en échange de ton téléphone ».

Je fronçai les sourcils. Si je cédais, penseraient-ils que j'étais une fille facile ? Putain, après ce que j'avais fait dans le couloir, la réponse ne pouvait être que oui. « Ah bon ? ».

« On te baise parce que tu as besoin de jouir », répondit Sam.

Jack hocha la tête une fois et me regarda des pieds à la tête. « De jouir plusieurs fois, même ».

JACK

Bridgewater était assez petit, je pensais que je retrouverais Catherine tout seul, ou avec un peu d'aide. Je ne savais pas que l'aide que je recevrais viendrait de Sam. Et en lui bouffant sa chatte. Elle n'était pas seulement la Fille de l'avion. Elle était la petite Katie Andrews, désormais devenue adulte. Je me souvenais vaguement d'elle... putain, cela faisait quinze ans au moins. Elle devait avoir douze ans alors qu'elle jouait avec la petite sœur de Declan MacDonald. J'avais été au lycée à l'époque et je ne m'intéressais pas du tout aux filles de cette âge. J'avais les yeux rivés sur les pom-pom girls. Bon sang, je regardais n'importe quelle fille qui avaient des seins. J'avais été un adolescent obsédé, et tout ce que je souhaitais, c'était dégoter une nana et coucher avec elle. Je n'avais qu'une seule chose en tête à l'époque.

Maintenant, avec Katie Andrews - devenue adulte - assise entre nous dans mon camion, je réalisais que j'étais toujours aussi obsédé. Par elle. J'attendais avec impatience de mettre mes mains sur ses seins bien ronds. Je n'arrêtais pas de bander depuis que je m'étais retrouvé le nez collé sur sa poitrine, dans l'avion.

Le simple fait de la voir prendre du plaisir pendant que Sam la léchait m'avait presque fait jouir. Elle était magnifique, détendue et rouge d'excitation et même si ça ne me dérangeait pas que soit grâce à Sam. Je voulais néanmoins qu'elle ait ce regard aussi grâce à moi. Nous aurions dû aller chez Sam puisque il habitait en ville. Et très près du bar. Mais je voulais la prendre dans un lieu où elle pouvait crier de toutes ses forces; je ne voulais pas que les voisins appellent la police simplement parce qu'elle avait un orgasme.

Comme le ranch se trouvait à une douzaine de kilomètres, je devais empêcher Katie de reprendre ses esprits. Je me souvenais de sa réaction dans l'avion, stressée et inquiète pour son travail, trop pondérée. Je n'avais aucun doute sur le fait que si elle avait sa licence de pilote, elle aurait piloté elle-même un putain d'avion afin de pouvoir tout maîtriser.

Même si j'avais son portable et qu'elle ne pouvait pas savoir ce qui se déroulait à l'extérieur du camion, elle pouvait néanmoins se mettre en mode « je maîtrise tout et je prends le contrôle des choses ». Et ce n'était pas ça que je voulais. Quand elle joignit les mains sur ses genoux et commença à les tordre, je savais que nous allions avoir des problèmes. Elle avait besoin d'être occupée et je savais comment m'en charger.

« Enlève ta culotte ».

Elle arrêta de bouger ses mains et elle leva les yeux vers moi. « Quoi ? ».

« Enlève ta culotte », répétai-je.

« Pourquoi ? ».

Sam secoua la tête et rit.

« Parce que je veux voir ta chatte. Je veux jouer avec sur le chemin du ranch. Parce que je veux que tu réfléchisses à ce que je vais te faire une fois que nous y serons. *Et rien d'autre ».*

« Nous » , ajouta Sam.« Ce que *nous* allons te faire ».

« C'est toi qui as eu un aperçu de sa chatte. C'est mon putain de tour », dis-je à Sam. Je ne pouvais pas m'empêcher de prendre un ton autoritaire. Elle m'avait chevauché dans l'avion et c'était lui qui l'avait fait jouir la première fois. Ce n'était pas juste. Je bandais tellement fort. Le simple fait de la regarder, de l'entendre jouir me suffisait presque à me faire jouir moi-aussi. « Enlève cette culotte, poupée ».

Même avec sa ceinture de sécurité, elle était capable de tortiller ses hanches et de réussir à faire glisser la fine dentelle le long de ses jambes. Alors qu'elle tenait sa culotte entre les doigts, je l'ai saisie et fourrée dans la poche de ma chemise. Je constatai qu'elle était humide et je pouvais sentir son doux parfum. *Merde.*

« Plus de culotte ou bien je continuerai à te la confisquer ».

Tout en gardant une main sur le volant, je plaçai l'autre sur sa cuisse et commençai à relever sa jupe courte. Sam fit de même de l'autre côté, dévoilant sa chatte. Heureusement que la route était droite où nous nous serions retrouvés dans un fossé !

Seul un soupçon de couleur demeurait dans le ciel, et elle n'était éclairée que par les lumières du tableau de bord. Je pouvais voir qu'elle avait un petit triangle de poils en haut. Tenant son genou, j'écartai ses jambes. J'ai ignoré son soupir quand j'ai vu qu'elle était mouillée. Ses petits plis de peau brillaient brillaient dans la lumière bleu pâle.

Je ne pus résister et glissai mes doigts à l'intérieur, les

faisant passer sur sa vulve. Humide et chaude, comme de la soie. Alors que j'écartais ses lèvres et glissais un doigt à l'intérieur d'elle, Sam trouva son clitoris.

Quand Katie a secoué ses hanches et poussé un cri rauque qui remplit l'habitacle de la camionnette, Sam dit : « Arrête de conduire comme une putain de vieille dame. Je veux jouir au fond de cette chatte chaude, pas dans mon pantalon ».

J'appuyai sur l'accélérateur. « Je ne déconne pas ».

Au moment où je m'arrêtais devant la maison principale, Katie était sur le point de jouir - sa chatte comprimait bien mes doigts - et tenait fermement nos deux poignets.

« Tu ne vas pas jouir tout de suite ».

« Quoi ? » elle criait, haletante et frustrée. Son regard sombre s'est levé vers le mien, la confusion et la passion étaient à leur comble.

« Nous nous occupons de tout maintenant », lui dis-je, afin qu'elle n'ait aucun doute sur le fait que c'était nous qui contrôlions désormais la situation. « Cela inclut ton plaisir ».

« Nous disons comment, nous disons quand », ajouta Sam en ouvrant sa porte et en sautant au sol.

Après être sorti du camion, je suis remonté à l'intérieur, l'ai fait glisser sur le siège et l'ai jetée par-dessus mon épaule, le cul en l'air. Sam était devant nous sur les marches et je lui ai jeté les clés.

« Jack... Repose-moi ! »

Sam poussa la porte et je montai quatre à quatre les escaliers.

Quand elle a commencé à me frapper avec ses petits poings, je lui ai collé une tape sur les fesses. « Je vais te coucher. Dans mon lit ».

« Jack ! ». cria-t-elle à nouveau.

« Donne-lui une nouvelle fessée. Elle aime ça », ajouta Sam.

En haut des escaliers, Katie s'arrêta immédiatement et je lançai un regard à mon cousin, les yeux grands ouverts. Sa seule réponse fut un sourire rapide. Glissant ma main le long de sa cuisse, je soulevai sa jupe pour qu'elle retombe sur son dos, exposant son cul magnifique. Pâle et voluptueux. J'ai doucement frappé une de ses fesses, puis l'autre.

Elle eut l'air surprise et cria mon nom, avec cette fois un peu moins de colère et beaucoup plus de chaleur. Passant mes doigts sur sa chatte, je lui dis : « Tu aimes quand tes hommes prennent les choses en main, n'est-ce pas, Katie ? ».

Je pouvais la sentir secouer sa tête contre mon dos. « Non. Tu es fou. Je n'aime pas être malmenée comme ça ».

Sam alluma les lumières et je posai Katie sur mon lit. Elle rebondit une fois avant de rapidement se mettre à genoux.

« C'est peut-être toi qui diriges les choses dans une cour, tu peux arriver à faire ramper les mecs devant toi pour un bout de papier mais tu dois laisser les mecs prendre les choses en main dans la chambre à coucher ».

Je n'avais aucune idée de toute cette paperasse d'avocat stupide, mais il avait raison à propos du reste. Elle avait besoin de lâcher prise, d'oublier tout, de mettre de côté sa raison. Et si cela voulait dire lui donner une bonne fessée et attacher ses mains au lit, eh bien, c'est ce que nous allions faire. « Tu peux lutter, bébé, tu peux nous résister, mais une chatte ne ment jamais ».

Je lui souris en léchant sa mouille sur mes doigts. Ses yeux s'élargirent et sa bouche s'ouvrit. De la pure douceur.

À côté de moi, Sam commença à défaire les boutons de sa chemise alors qu'il enlevait une chaussure, puis l'autre.

« As-tu aimé l'orgasme que je t'ai donné, Katie ? » demanda Sam, tout en sortant le bas de sa chemise de son pantalon.

Elle hocha la tête, déplaçant son regard pour le regarder se déshabiller.

« Bonne fille », lui dis-je, soulagée qu'elle ne soit plus embarrassée désormais. « Il n'y a pas de honte à avoir pour ce que tu as fait. Ce que nous avons fait. Voici comment la nuit va se passer. On va te déshabiller, puis on va te baiser jusqu'à ce que tu ne puisses plus penser à rien d'autre que mon prénom et celui de Sam ».

Je saisis le devant de ma chemise et déboutonnai les boutons-pression un à un.

« Et si tu recommences à penser, nous allons te donner une fessée et ensuite nous allons te baiser de nouveau ».

« Jamais été avec deux hommes avant, poupée ? »demanda Sam.

« Non », murmura-t-elle.

« Alors mets-toi sur ton dos et écarte tes cuisses. Voyons voir ta belle petite chatte ».

Oui, nous étions autoritaires. Ouais, elle détestait qu'on lui dise quoi faire, qu'elle abandonne son contrôle, d'après la façon dont ses yeux se rétrécissaient et laisser échapper un regard qui disait qu'elle voulait être baisée. Elle adorait ça, elle ne disait pas un mot, reposant sur mon lit, les genoux repliés et les jambes écartées.

Non seulement elle avait une chatte rose parfaite, mais ce petit triangle de poils ras qui pointait vers la terre promise prouvait qu'elle était une putain de vraie blonde.

8

ATHERINE

LORSQUE ELAINE m'a dit qu'elle voulait que je baise un cow-boy, elle n'avait probablement pas envisagé ça. Moi, avec mes jambes écartées, deux cow-boys qui se tenaient debout devant moi, fixant ma chatte. C'était comme s'ils regardaient le putain de Graal.

« Elle porte trop de vêtements », commenta Sam. Il alla À un côté du lit, Jack vers l'autre et rampa sur le lit, m'enlevant lentement mon chemisier, mon soutien-gorge et ma jupe. Je me doutais bien que j'avais peu de chance de revoir ma culotte, en tout cas celle que Jack avait fourré dans la poche de sa chemise.

« Et vous ? ». J'étais nue et ils étaient toujours habillés.

Il leur a fallu quelques secondes pour se déshabiller et je ne pouvais pas décider de quel côté je devais regarder. À ma droite, Sam, à ma gauche, Jack. Mon Dieu, deux cow-boys nus.

Sam avait la peau sombre. Soit il bronzait à poil, soit sa peau était comme ça. Il avait quelques poils sur le torse qui se terminaient en une ligne droite pour entourer son nombril et se terminer à la base de sa queue. Sa queue très grosse et très dure.

Puis il y avait Jack. Les cheveux de Jack étaient blonds, comme blanchis par le soleil. Lui aussi avait des poils sur la poitrine, mais ils étaient plus sombres que ses cheveux. Sa queue était plus épaisse que celle de Sam et une goutte perlait au bout de son gland. Je ne savais pas si je serai capable de la prendre en entier en moi, ou bien même si je pouvais la prendre en entier dans ma bouche.

Rien que d'y penser me faisait saliver.

Peut-être arriva-t-il à lire dans mes pensées car il me fit signe de m'approcher et je rampai sur le lit dans sa direction. Je levai les yeux vers lui, sa queue se balançant juste devant mon visage.

Il agrippa la base, la caressa une fois. « Tout ça, c'est pour toi. Tu vas pouvoir bien en profiter. Lèche-la ».

Sa voix était sombre et dominante et je savais que je ne contrôlais plus rien. Je ne maîtrisais plus rien. Pour la première fois depuis... et ça ne me dérangeait pas. Je n'avais pas besoin de réfléchir. Je n'avais pas besoin de m'inquiéter de quoi que ce soit. Nous allions aborder des rives, ce soir, dont je n'imaginais même pas l'existence. J'avais besoin de les laisser me guider. S'il voulait mettre sa bite dans ma bouche, cela me convenait.

Comme il tenait sa queue pour moi, je léchai le gland comme une sucette, le goût vif de son liquide séminal sur ma langue. Il gémissait et cela me donnait un sentiment de pouvoir. Ouvrant bien grand la bouche, j'avalai son gland. Il était grand. Putain, je ne pouvais pas tout prendre. J'avais entendu parler de femmes avalant la bite d'un homme au fond de leur gorge. Cela n'arriverait pas avec Jack.

Je sentis le lit s'enfoncer derrière moi et la main de Sam caresser ma colonne vertébrale. Je soupirai et fermai les yeux en me concentrant sur sa caresse. Une claque sèche sur mon cul me fit sursauter.

« N'arrête pas de sucer la bite de Jack, poupée ».

Je la sortis de ma bouche et regardai Sam par-dessus mon épaule. Il sourit en glissant sa main pour caresser l'endroit où il venait juste de m'asséner une claque. « Si tu me regardes comme ça, je vais te baiser ».

Je ne pensais pas qu'il était possible de mouiller encore plus, mais je pouvais sentir ma mouille couler sur mes cuisses, entendre le son humide alors que les doigts de Sam continuaient à bouger. Je déplaçai mes hanches, commençant à chevaucher ses doigts, mais il me donna une nouvelle fessée.

« Oh non, tu ne vas pas faire ça. Suce la bite de Jack, poupée, et je te donnerai ce dont tu as besoin ».

Regardant à nouveau Jack, ses yeux étaient embués. Il prit ma main et enroula mes doigts autour de sa queue. Je pouvais ressentir les pulsations sous ma paume, si épaisse, si soyeuse et si dure.

« Je ne devrais pas vouloir ça », dis-je. Était-ce ma voix ?

« Bien sûr que si », répondit Jack.

Sortant ma langue, je léchais une autre goutte nacrée, la laissant glisser sur ma langue. « Bien sûr que si ».

Je pris son sexe aussi profondément que possible, tout en le branlant vigoureusement. Je n'étais pas la meilleure dans ce domaine, mais j'espérais que mon enthousiasme masquerait tout manque de compétence. Et à la façon dont Jack gémissait, cela semblait fonctionner.

Sam se déplaça sur le lit. J'entendis un tiroir s'ouvrir, puis le bruit d'un emballage que l'on déchire, puis sa main me prit la hanche, me retint en place tandis que sa queue glissait dans mon humidité, se pressait contre mon entrée, puis glissait profondément d'un coup lent.

Merde, je le sentais bien, il me remplissait à fond. C'était incroyable. Je me tortillai, peu habituée à une telle pénétration alors que je gémissais à la vue du sexe de Jack. Le plaisir, chaud et brillant, faisait picoter ma peau; j'en avais mal au clitoris.

Les doigts de Jack jouèrent avec mes cheveux, me guidèrent pour prendre sa bite comme il le souhaitait.

Sam ne bougea pas, il se tenait parfaitement immobile pendant que je fermais les yeux et savourais sa queue. J'étais empalée devant et derrière et je ne voulais pas être ailleurs.

« Je ne vais pas durer », dit Jack.

« Merde, je ne bouge même pas, je te laisse t'ajuster, et je vais exploser. Tu nous as réduits à l'état d'adolescents surexcités ».

Je serrai mes lèvres, le retenant, apprenant à l'accommoder en entier. Sam gémit, me donna une nouvelle fessée. Je serrai encore plus fort.

« Tu veux jouir, chérie ? » demanda Sam, tout en commençant à bouger sa queue. En faisant un va et vient. Il était extraordinairement lent mais chaque terminaison nerveuse de ma chatte était sollicitée. Ses doigts agrippèrent mes hanches, me plaçant juste là où il me voulait.

Je ne pouvais rien faire. Bien sûr, je pouvais leur dire non et je savais qu'ils s'arrêteraient, mais ce n'était pas ce que je voulais vraiment. Je voulais qu'il continue.

Je ne pouvais pas hocher la tête tandis que je suçais la bite de Jack, alors j'ai fait un son, quelque chose de proche d'un oui.

Jack grogna.

« Pourquoi ça ? » demanda Sam.

J'enlevai la queue de Jack et regardai par-dessus mon épaule. « Tu veux avoir une conversation maintenant ? ».

« Dis-moi pourquoi tu devrais jouir ».

« Putain, Sam, je veux que ma bite soit dans sa bouche », se plaignit Jack.

La queue magique de Sam me caressait à un endroit au fond de moi-même qui me faisait me cambrer encore plus. « Là, très bien. Oui, encore ». Je ne me souciais pas de mendier. Pas à ce stade.

Sam se calma. « Oh, non... Dis-nous pourquoi tu devais jouir, chérie ».

« Parce que... parce que je suis une bonne fille », répondis-je, à bout de souffle.

J'étais une salope totale. Que diable faisais-je avec deux hommes ? Une bite dans ma bouche, une autre dans ma chatte. Que faisais-je à me tortiller, à gémir, en mendiant et en *parlant* de sexe ? Chad n'avait jamais rien fait de tout ça. La main de Jack couvrit la mienne sur sa queue et il commença à se caresser, lentement au début, puis plus fort, jusqu'à ce que j'oublie mon ex. . Évidemment, j'avais été avec un loser qui ne savait pas comment utiliser sa queue parce que Sam allait me faire jouir et il ne bougeait même pas. Puis Jack.

« Sors ta langue », dit-il. Je levai les yeux vers lui à travers mes cils, je vis la tendresse dans son regard qui contrastait avec la mâchoire tendue, les muscles bandés dans son cou. Sa queue était juste en face de ma bouche, de couleur prune sombre et luisante de ma salive.

C'était hard, et je le voulais. Je voulais tout, alors j'ai fait ce que Jack souhaitait.

Posant le bout de son pénis sur ma langue, il gémit. Les éjaculations épaisses de son sperme jaillissaient dans ma bouche ouverte et se répandaient sur ma langue. Je gardai mes yeux sur lui tout le temps, me délectant dans la façon dont ses yeux se fermèrent étroitement et de la façon dont sa peau rougissait. Ses lèvres formaient une mince ligne. Il expira profondément. Je l'avais réduit à un pur plaisir et son comportement était la preuve que j'avais réussi mon coup.

Une fois sa queue vidée, il recula.

« Montre à Sam ».

Jack était un bavard. Ce qu'il me faisait faire était si pervers, mais cela avait simplement pour effet de me faire mouiller encore plus. J'ai tourné la tête, regardé par-dessus mon épaule.

Sam vit le sperme de son cousin dans ma bouche. « Tu as raison. Tu es une bonne fille. Avale, poupée ».

J'ai fermé ma bouche et fait exactement cela. La saveur salée et acidulée de Jack recouvrait ma langue et remplissait mon ventre. Je n'avais jamais avalé du sperme auparavant, mais avec Jack, et Sam en train de regarder, j'adorais ça.

Jack tendit la main, me prit le menton, m'inclina la tête en arrière et je devais le regarder. Avec son pouce, il essuya une goutte de sperme au coin de ma bouche. « Ouvre grand ».

J'ouvris la bouche et il en profita pour enfourner sa bite.

« Nettoie-moi ». Je léchais assidûment son gland. Je ne manquais pas le plaisir de son regard ou la façon dont son sexe était encore dur.

Sam se pencha sur moi, plaça sa main à côté de la mienne sur le lit. Son corps chaud était contre mon dos, le doux duvet de sa poitrine chatouillait ma peau sensible.

« J'ai changé d'avis. Tu n'es pas une gentille fille. Tu es vilaine, très vilaine », murmura-t-il. « Tu viens d'avaler le sperme de Jack alors que ma queue remplit ta petite chatte bien serrée. Tu penses que tu devrais jouir ? ».

« Oui » ai-je crié.

Il me lécha l'oreille, tout en me susurrant. « Tu jouis parce que tu aimes sucer des bites. Tu aimes prendre deux hommes à la fois ». Il me tapa le cul, la claque brûlante me faisant sursauter, surtout quand ça me faisait mal, faisant monter le sang dans mon clito. « Tu aimes être fessée ».

« Oui », lui répétai-je. C'était vrai.

En me relevant, Sam me redressa, je chevauchai ses cuisses, nos genoux pliés. J'étais assise sur ses genoux avec sa queue enfoncée profondément. Il me tenait en place avec ses mains sur mes seins, Jack juste en face de moi.

« Jack va te regarder jouir ».

Posant un genou sur le lit, Jack secoua la tête. « Pas seulement regarder. Je vais aussi l'aider ».

Il posa sa main entre mes jambes et pinça mon clito enflé et sensible.

« Oh ». Je criais, essayant de déplacer mes hanches. Je ne pouvais pas, Sam me tenait trop fortement. Ma peau était couverte de transpiration. L'odeur du sexe tourbillonnait autour de nous, sombre et charnelle. Cela ne ressemblait à rien de ce que j'avais pu faire auparavant.

Sam commença à me soulever et à me baisser alors qu'il avançai ses hanches, tout en me baisant. Il passait désormais à l'action. Son désir de jouir était féroce et il me prit sauvagement, en me pinçant et en tirant sur mes tétons.

Avec sa bouche sur mon cou, Sam gémit, je sentis sa queue durcir et s'enfoncer en moi juste avant qu'il ne jouisse. J'étais juste là avec lui, si chaud, si nécessiteux, si prêt à céder à mon propre plaisir, mais je ne pouvais rien faire. Je ne pouvais pas y arriver, même si j'essayais de déplacer mes hanches. J'étouffai un soupir de plaisir et en même temps de frustration.

« Katie », dit Jack.

J'ouvris les yeux, le regardai, gémis.

« Jouis, maintenant«.

Il pinça mon clitoris. Fort. J'aurais dû détester ça, être traumatisée par quelque chose d'aussi douloureux. Il s'est avéré que ce n'était pas douloureux du tout. C'était le plaisir le plus exquisément douloureux que j'avais jamais ressenti avant de jouir. J'ai crié, mon corps avalant la bite de Sam, essayant de l'attirer encore plus profondément en moi.

Il haletait alors que son plaisir diminuait, si profond en moi que Jack pouvait sûrement le sentir avec sa paume sur mon ventre.

Jack me prit dans ses bras alors que Sam se retirait, entraînant un autre gémissement de ma part. Jack me plaça à côté de lui sur le lit, ma joue reposant sur sa poitrine, un bras sur sa taille. Sam était allé dans la salle de bain pour se débarrasser du préservatif, mais il revint rapidement et s'installa derrière moi. J'étais encore entre eux et je me sentais... bien utilisée, bien baisée. Protégée.

Mes yeux étaient trop lourds pour s'ouvrir, mon corps trop plein pour pouvoir faire rien de plus que passer inutilement mes doigts sur les poils de la poitrine de Jack. Je ne pouvais même pas penser à une seule raison pour laquelle ce que nous venions de faire avait été une mauvaise idée. Je savais que mes pensées finiraient par refaire surface, mais pas maintenant.

Sam embrassa mon épaule. « Dors, poupée. Tu vas en avoir besoin ».

9

AM

COMME JE M'Y ATTENDAIS, quand le soleil se leva, les murs étaient inondés de soleil. Jack, habitué à se lever à l'aube, était dans la cuisine quand Katie descendit pour prendre un café. Je m'étais réveillé en même temps qu'elle et l'avait suivie. Je me sentais détendu d'une manière que je n'avais pas ressenti depuis longtemps. Seuls plusieurs orgasmes pouvaient me détendre aussi bien. Jack arborait le même sourire crétin que je savais que j'avais.

Je n'avais aucune idée de comment Katie arrivait à marcher avec des talons aussi hauts. Après l'avoir baisée une première fois, nous avons pris une petite pause avant qu'elle ne se réveille avec la tête de Jack entre ses cuisses. Nous l'avions prise de plusieurs manières très créatives - sauf tous les deux en même temps - jusqu'à ce qu'elle s'évanouisse d'épuisement.

« Café », marmonna-t-elle, debout à côté de la cafetière, attendant que Jack lui verse une tasse. Elle attrapa la tasse comme une bouée de sauvetage et respira l'odeur riche avant de prendre sa première gorgée.

« As-tu besoin de... »

Elle leva la main, me coupant, alors qu'elle regardait la buée qui s'élevait de sa tasse. « Ne parle pas avant que j'ai bu mon café ».

Je hochai lentement la tête, puis pris la tasse que Jack me tendait. Il sourit et nous regardâmes Katie boire son café, pas encore complètement réveillée.

Cela aurait dû être un silence embarrassant, mais soit le cerveau de Katie ne se mettait en route qu'après son café - quelque chose dont on devrait se souvenir - soit elle n'était pas du tout gênée par l'association de deux hommes la nuit dernière. Quand elle reposa sa tasse vide sur le comptoir quelques minutes plus tard, il me semblait que c'était un peu les deux.

« Je suppose que je ne vais pas récupérer ma culotte ? » demanda-t-elle à Jack, sa voix reprenant à nouveau son ton ferme.

Merde. Ma queue se raidit dans mon pantalon en réalisant qu'elle ne portait rien sous cette jolie jupe.

Jack sourit et secoua lentement la tête. « Non. Et, comme je l'ai dit hier soir, si tu continues à en porter, nous continuerons à l'enlever ».

Sa bouche resta ouverte, avant qu'elle ne la referme. Elle plissa ses yeux. Il y avait le regard. Bon dieu, j'adorais ce regard. Un contrôle total. Je voulais la ramener à l'étage et faire en sorte que ça disparaisse. Non, je pouvais juste la prendre sur la table de la cuisine.

« Et mon téléphone ? Si je revois l'un de vous deux, est-ce que je devrais aussi vous le donner ? ».

«Oui ». Jack croisa les bras sur sa poitrine et ne sourit pas. « Ma chère, on peut faire ce qu'on veux de toi dans la chambre à coucher, mais nous n'avons aucune intention de contrôler ta vie. Je ne pouvais pas jongler avec autant de balles si j'étais dans un cirque ».

Elle ouvrit la bouche pour parler, mais Jack prit la parole. « Mais, si c'est après les heures de bureau et qu'on te voit bosser, alors, oui, nous reprendrons ton téléphone ».

Katie tendit la main et tapa du pied sur le sol de la cuisine en attendant.

Jack sortit le téléphone de la poche de sa chemise - il était le seul d'entre nous à porter des vêtements propres depuis que nous étions chez lui - et le lui tendit.

Tournant sur ses talons, elle sortit de la cuisine la tête baissée, ses doigts glissant sur l'écran. Ses talons claquèrent sur le plancher en bois jusqu'à la porte d'entrée tandis qu'elle se parlait à elle-même.

Je regardai Jack : il sourit et secoua la tête une fois de plus. « Elle parle toute seule quand elle est stressée ».

« On ne capte pas ici ! » cria-t-elle, sa voix fâchée et paniquée en même temps. « Je ne peux pas vérifier mes e-mails. Pas de SMS. Pas de messagerie vocale. Il est neuf heures à New York. Avez-vous la moindre idée - ».

« Écoute », ai-je crié en posant ma tasse sur le comptoir en granit. « Calme-toi et je te ramènerai à la civilisation ».

« Les clés du camion sont devant la porte. Ce soir ? » demanda Jack avant que je ne sorte.

Je souriais. « La détendre va être une occupation nocturne ».

« Allons-nous faire semblant qu'il ne s'est rien passé la nuit dernière ? » ai-je demandé.

Je l'avais ramenée à sa voiture de location dans le parking du bar et je me suis assuré qu'elle se dirigeait bien vers la maison de son oncle avant de retourner au bureau. Trois heures plus tard, alors qu'elle était assise en face de moi, elle ne laissait rien paraître de ce qui s'était déroulé. Ce qui était terrible. Je l'aimais beaucoup mieux avec ses cheveux tirés en arrière dans une queue de cheval que j'avais adoré attraper pour la prendre par-derrière. Ses talons avaient disparu, remplacés par des chaussures plates, violettes. Je n'avais jamais vu de chaussures de cette couleur dans le Montana auparavant.

Elle leva la tête des feuilles devant elle pour me regarder. « Je lis des documents juridiques. Tu veux me baiser maintenant ? ».

Mes sourcils se levèrent, et je ne pus m'empêcher de sourire. « Ce serait beaucoup plus intéressant ».

Elle leva les yeux au ciel et revint à sa lecture. Pendant que son portable était sur le bureau devant elle, elle avait décidé de le mettre sur vibreur lorsqu'elle s'était assise, sachant que même si ce n'était pas son travail, c'était pour cette raison qu'elle avait traversé deux fuseaux horaires. Elle était en mode avocat. Je respectais sa concentration, mais je souhaitais qu'elle ait le même principe dans sa vie personnelle, en y mettant du sien.

« Ce sont des formulaires standards. L'acte te donne entière jouissance de la propriété à partir d'aujourd'hui. Si nous le signons avant midi... ». Je soulignai cela car elle prenait beaucoup de temps à les relire. « Le palais de justice peut les contresigner avant la fin de la journée ».

« Tu veux que *je* me calme », marmonna-t-elle en secouant la tête et en ramassant le stylo. D'un geste, elle signa à tous les endroits requis avant de me rendre la liasse.

« J'ai connu tout ça, tu sais,» lui dis-je en soulevant les papiers et en les tapant sur le plateau du bureau pour aligner les feuilles avant de les mettre dans une enveloppe jaune. « J'ai quitté Bridgewater quand j'avais dix-huit ans, je suis allé au collège, puis à la faculté de droit sur la côte ouest. Je suis parti dans une grosse boîte, comme toi. J'ai bossé quatre-vingt heures par semaine, afin de devenir associé. Pas de vie sociale. J'ai juste travaillé d'arrache-pied pendant trois ans. Téléphones portables, e-mails, SMS, messagerie instantanée, délais, pilules contre les brûlures d'estomac, je connais tout ça ».

J'avais attiré son attention. « Pourquoi es-tu revenu ici alors ? ».

« Parce qu'un de mes pères a eu une crise cardiaque. Une petite, et il va bien maintenant. Mais je suis revenu pendant environ un mois pour l'aider et j'ai réalisé que je n'avais pas besoin de ce rythme urbain de dingue. Ça me bouffait la vie, alors je suis parti ».

« Tu ne voulais pas devenir associé ? » demanda-t-elle.

J'ai haussé les épaules. « C'est ce qui m'a poussé durant toutes ces années, comme une carotte qui pendait devant mon visage, puis j'ai réalisé que ce n'était pas vraiment ce que je voulais. Il était temps de rentrer à la maison dans ma famille ».

« Ouais, eh bien, mes parents ne sont pas une bénédiction ». J'ai attendu, espérant qu'elle poursuive. « Ils sont ravis que je sois avocate parce qu'ils sont avocats. Ils pensent que la vie ne démarre vraiment qu'une fois qu'on est associé ». Elle leva les mains en l'air dans un geste de déni.

« Pourquoi n'as-tu pas rejoint leur firme ? ».

Elle rit. « Je suppose que ta famille dînait tous les soirs ensemble. Vous dîniez ensemble le dimanche, passiez Noël avec des pulls affreux, non ? ».

J'ai hoché la tête. « Les pulls horribles n'étaient portés que pour le réveillon, pas toute la journée », expliquai-je.

Elle acquiesça lentement. « Mes parents sont à la retraite et voyagent beaucoup. Je les vois environ deux fois par an pour déjeuner quand ils sont en ville pour remplir leur valise de vêtements d'hiver ou d'été. Pour Noël dernier, ils étaient à Hong

Kong. J'ai mangé un truc surgelé en regardant le football à la télé. Et j'ai travaillé ».

« Bien sûr », j'ai ajouté. Bien sûr, qu'elle travaillait à Noël. Merde. L'idée qu'elle soit seule à New York alors que j'étais avec mes parents et mes cousins, tantes et oncles était un coup de poing au ventre.

« Nous ne sommes pas très démonstratifs ou attachés aux repas en famille ». Elle soupira, se rassit sur sa chaise. Je voyais qu'elle n'était pas triste, simplement résignée. Elle se résignait à avoir des parents merdiques, à être seule. « En plus des deux repas chaque année, je reçois un appel téléphonique lorsque ma mère entend parler d'une loi qui est amendée. Nous ne sommes pas vraiment une famille ».

C'était évident pour moi maintenant. Elle fonçait tête baissée pour ne pas se rendre compte à quel point sa vie était foutue. Si elle ralentissait, elle réaliserait que ses parents étaient des connards et que son travail était nul. Aussi, elle passait tout son temps à ne pas en avoir, justement, de temps.

« La famille n'est pas toujours définie par des liens de sang. Tu crées ta propre famille. Je suis revenu ici pour démarrer la mienne ».

Elle se raidit et son visage perdit ses couleurs. « Tu as une femme ? ».

Je secouai la tête, passai ma main sur ma nuque. « Bordel, Katie. Bien sûr que non. Avant de demander, Jack non plus. Mais si nous partageons une femme, cela aide si on est dans la même ville ».

Sa bouche resta ouverte. « Tu veux ... partager une femme ? ».

« Oui ». Je lui ai dit la vérité de manière succincte. Il n'y avait aucune question qu'elle pourrait mal interpréter avec ce genre de réponse.

Elle fronça les sourcils. « Euh... la nuit dernière, tu sais. C'était un coup d'un soir ».

« Se faire baiser par un cow-boy... ou deux, c'est ça ? Assouvir un fantasme ».

« Euh... Oui. C'est ce que Jack a dit dans le bar ».

Je me suis levé, j'ai fait le tour du bureau, j'étais juste devant elle. Elle a dû incliner la tête en arrière pour que nos regards se rencontrent. Me penchant en avant, j'ai mis mes mains sur les bras de la chaise, l'enfermant à l'intérieur. Je pouvais sentir son parfum. Citron. Tarte et doux, tout comme elle. « Donc, je ne devrais rien ressentir pour toi, alors ? Je ne devrais pas avoir envie de te prendre sur mon bureau, c'est ça ? ».

Elle jeta un coup d'œil à mon bureau, puis revint vers moi. Et passa sa langue sur ses lèvres.

« C'est le vingt et unième siècle. Tu n'es pas obligé de m'épouser si nous couchons ensemble un soir ».

Prenant sa queue de cheval, je l'enroulai lentement autour de ma main, l'immobilisant. « Ce que nous faisons avec toi, ce n'est pas un truc d'une nuit, poupée. Je sais cela. Jack le sait. Tu le sais aussi ».

Et alors que je tirai un petit coup sec sur ses mèches soyeuses, elle gémit. J'ai vu la chaleur dans ses yeux pâles, elle se souvenait que c'était nous qui contrôlions la situation.

« La nuit dernière était-elle suffisante ? ». Je devais savoir.

« Non », murmura-t-elle.

Ce petit mot m'a fait bander alors que je me sentais instantanément soulagé.

« Tu mouilles, n'est-ce pas ? Je parie que tu mouilles depuis que tu as quitté notre lit ».

Elle déglutit. « Oui ».

J'ai gémi, puis je me suis penché pour l'embrasser. Sa bouche s'ouvrit et ma langue se mêla aussitôt à la sienne.

Je pouvais me noyer en elle, me noyer tout en sachant que je lui tenais la tête comme je le voulais afin de prendre possession de sa bouche. Elle ne penserait à rien d'autre que mes lèvres sur les siennes, ma langue se mêlant à la sienne parce que je la tenais fermement par les cheveux. Je contrôlais la situation et elle s'en délectait.

Je levai la tête, lâchai ma prise. En reculant, je désignai mon bureau.

« Penches-toi en avant ».

Je lui aurai donné des mots doux et des caresses si je savais que c'était ce qu'elle voulait. Ce n'était pas pour elle. Elle n'était pas ce genre de femme. Elle voulait gouverner son propre petit monde, mais elle voulait que Jack et moi la contrôlions.

« Ici ? Maintenant ? ».

« Ce qu'il y a de cool dans mon travail, c'est que je peux te baiser, juste ici. Maintenant ».

Elle se leva lentement, mais tandis que ses joues étaient rouges et ses yeux vifs de désir, son esprit se mettait en marche et elle se mettait à réfléchir. « Et Jack ? ».

« Je n'ai pas besoin de lui pour te baiser ».

« Mais... n'est-ce pas le tromper ? ».

« Tu nous trompes si tu baises le frère de Kara, Dec, au lieu de l'un d'entre nous ». Comme elle ne semblait pas satisfaite de cette réponse, j'attrapais mon téléphone, pour appeler Jack. « Eh, attends », lui dis-je, puis je lui passai Katie au téléphone. « Voilà. Explique le problème ».

Ses yeux s'élargirent. « Mon problème ? ».

Appuyant sur le bouton du haut-parleur, je reprenais le téléphone pour le replacer sur son socle.

« Katie est ici avec moi au bureau ».

« Salut, beauté », dit Jack à travers le haut-parleur. « C'est quoi ton problème ? ».

Ses joues devinrent rose vif, mais elle ne dit rien.

« Sa chatte est mouillée », dis-je.

Elle haleta, attrapa son sac à main et son sac d'ordinateur portable, prête à s'enfuir. La saisissant par la taille, je la tenais fermement tandis que je posais ses deux sacs par terre.

« C'est un problème. Sam ne s'occupe-t-il pas de ça pour toi ? » demanda Jack.

« Je vais te tuer », dit Katie en serrant les dents, essayant de se débattre.

« Ah, très bien, ça ». J'adorais quand elle se mettait en colère. J'avais un nouveau défi : la baiser pour faire disparaître sa colère. « Elle a peur que tu sois fâché. N'est-ce pas, poupée ? ».

« Si tu as des besoins, bébé, si tu es trempée et que tu veux te faire fourrer, alors tu peux nous le dire, tu sais. Nous prendrons soin de toi, je le promets. Si je ne suis pas là, ce sera le travail de Sam de s'occuper de toi ».

Avec un bras autour d'elle, j'ai utilisé ma main libre pour déboutonner son chemisier. Un soutien-gorge en dentelle rose est apparu, presque trop délicat pour soutenir ses seins bien ronds. Je n'avais pas besoin d'aller bien loin sous le tissu pour trouver son mamelon. Elle cria de surprise.

« Si je ne suis pas là, Jack va te baiser », murmurai-je, l'embrassant juste derrière l'oreille.

« C'est vrai », confirma Jack. « Pourquoi ta chatte est-elle toute mouillée, mon bébé ? Est-ce que nos bites lui manquent ? ».

Je tirai sur son mamelon avant de le relâcher.

« Sam », haleta-t-elle.

J'étudiais son profil, la couleur vive de ses joues, la façon dont ses yeux se fermaient et dont elle se mordait la lèvre. Elle aimait que l'on joue avec ses seins et je n'allais pas m'arrêter. Bien sûr, je m'arrêterais si cela ne lui plaisait pas, si elle me disait non, mais la façon dont elle gémissait, la façon dont elle arquait son dos quand je la touchais me laissait croire que les seuls mots qu allaient sortir de sa bouche étaient « oui », « encore » et « plus fort ».

« Réponds à ma question, poupée. Est-ce que nos queues te manquent ? ».

« Oui ! » cria-t-elle alors que je la pinçai plus fort.

Mes hanches se déplaçaient en direction du bas de son dos, ma bite déjà raide.

« Alors laisse Sam te baiser. Tu te sentiras mieux ». Heureusement, Jack avait tout ce dont elle avait besoin.

Katie gémit quand je relâchai la pointe de son sein.

« Tu portes une culotte, chérie ? ». La question de Jack l'avait calmée.

Je ris. « Eh oui, je pense que c'est le cas, cousin », dis-je à haute voix, laissant tomber ma main sur sa taille. « Mains sur le bureau, chérie. Voyons voir si tu es une gentille fille ».

Elle prit une profonde inspiration, puis une autre avant de poser les mains sur mon bureau.

« Plie tes coudes et sors ton cul ».

Ces yeux sombres rencontrèrent les miens et elle fit comme demandé. Me plaçant derrière elle, je remontai sa jupe sur ses cuisses, exposant chaque centimètre crémeux, ainsi que la soie blanche de sa culotte.

« Bon Dieu », marmonnai-je en voyant le tissu fin, trempé par son excitation.

« Sa culotte ? » demanda Jack.

« Ouaip », répondis-je.

« Enlève-la, bébé ».

Utilisant une main à la fois, je l'observai en train de baisser sa culotte en tortillant des hanches pour la faire descendre.

« Laisse-la autour de tes chevilles », dis-je. Cette vision, avec sa jupe relevée, sa chatte dégoulinante et exposée alors qu'elle se penchait au-dessus de mon bureau me fit bander. Je dus changer de position pour soulager la douleur dans mes couilles.

Je contournai mon bureau, ouvrai mon attaché-case et sortis le préservatif, le lubrifiant et le plug que j'avais glissés dans une poche latérale, et les plaçai devant elle. Ses yeux s'élargirent alors qu'elle savait à quoi tout cela allait servir, mais elle ne bougea pas, tout au plus se tortilla-t-elle.

« Qu'est-ce que tu vas faire avec ça ? » demanda-t-elle, sans quitter des yeux les objets.

« On t'a prise hier soir, chacun notre tour. Quand tu auras

deux hommes pour te faire jouir, tu auras une bite dans la chatte et une autre dans le cul. Ce plug va bien préparer ton cul pour qu'il accueille une bite ».

« La nuit dernière ne se répètera pas », contra-t-elle alors que je me déplaçais derrière elle.

« Et pourtant, tu es là, penchée sur mon bureau, ta chatte exposée et ta culotte autour de tes chevilles ».

« Sam, je- » dit-elle, mais Jack lui coupa la parole.

« Chérie, c'est nous qui prenons les choses en main quand on baise, mais c'est toi qui contrôle le reste ». Sa voix résonnait dans le haut-parleur. « Remonte ta culotte et baisse cette jupe. Tu as le droit de dire non. Cela ne blessera pas nos sentiments. Nous te ferons la cour de manière plus conventionnelle, jusqu'à ce que tu sois prête ».

Il fit une pause et elle ne bougea pas.

« Ou tu peux t'enfiler ce plug comme punition, et ensuite te faire bien baiser ».

Elle leva ses paumes. « Le plug est une punition ? ».

Avec une main sur son dos, je m'appuyai sur son coude, puis tendis la main pour saisir le plug et le lubrifiant.

« Non, c'est pour ton plaisir, le plug ».

« Je ne pense pas que quelque chose dans mon cul va me faire me sentir bien ».

« Déjà essayé ? ».

Elle secoua la tête.

« Ce cul n'a jamais été baisé ? » demanda Jack, car il ne pouvait pas voir sa petite tête hocher de gauche à droite.

« Non », dit-elle.

Le grondement de Jack se fit entendre haut et fort.

« Prépare-moi ce cul, Sam ».

Elle sursauta au son de l'ouverture du couvercle du lubrifiant. Je passai mes doigts luisants sur ses lèvres, puis m'installai sur son trou de cul plissé et vierge.

« Chut, poupée. Que du plaisir ».

Son corps se raidit alors que je faisais tourner mon doigt,

très doucement. Je continuais jusqu'à ce qu'elle se détende, jusqu'à ce qu'elle commence à bouger ses hanches. Je n'étais même pas sûr qu'elle en était consciente elle-même. C'est seulement à ce moment que j'ai appliqué une pression. En plaçant la petite bouteille au-dessus, j'ai pressé quelques gouttes de plus et ensuite enfoncé mon doigt à l'intérieur.

« Sam ! » cria-t-elle et j'étais sûr que Jack pouvait l'entendre respirer.

« Sais-tu ce que je suis en train de faire, beauté ? » demanda Jack.

Je faisais entrer et sortir mon doigt, mais seulement jusqu'à la première phalange, ajoutant de plus en plus de lubrifiant. Je voulais qu'elle soit super lisse avant d'y enfoncer le plug, sachant qu'il glisserait facilement.

« Je suis debout dans la sellerie caressant ma bite. Le simple fait de savoir que tu as le doigt de Sam dans le cul me fait bander bien fort ».

Katie gémit et laissa tomber sa tête sur ses avant-bras.

Je pris cela comme un signe et me retirai, j'enduisis le plug et l'appuya contre ses fesses. « Respiration profonde, chérie. Ça y est, laisse-le entrer lentement ».

Ce faisant, j'enfonçai le plug, dans son intimité lisse et prête. Quand il fut bien enfoncé, je lui donnai un léger coup sec et sa tête se leva, et elle murmura mon nom. Je ne pouvais pas m'empêcher de sourire.

« Tu aimes ça ? Tu devrais la voir, Jack. Le plug est entré parfaitement. Ce petit bijou est tout rose et scintillant ».

C'était un plug décoré, un faux bijou rose avec une large bride.

« Tout aussi rose que sa chatte ? » demanda Jack.

« Ouais, et dans une minute, tout aussi rose que son cul. Prêt pour ta punition, poupée ? ».

Elle me regarda par-dessus son épaule. « Une punition ? Mais... ». Elle bafouilla quand je passai ma main sur sa fesse, puis lui donnai une belle tape.

« Pas de culotte », dit Jack.

« Mais tu as seulement dit que tu l'enlèverais ».

« C'est juste une raison pour te donner une fessée », dis-je, lui donnant un autre coup et regardant mon empreinte de main s'épanouir, aussi rose que son plug. « Nous avons découvert la nuit dernière à quel point tu aimes ça ».

« Je n'aime pas ça », cracha-t-elle.

« Alors pourquoi es-tu encore sur mon bureau ? Pourquoi cambres-tu ton cul pour en avoir plus ? ». Je lui donnais encore une fessé, douce et gentille. Nous la dominions suffisamment. Mais il était sûr qu'elle ne penserait pas à autre chose qu'à nous en ce moment.

Elle s'arrêta alors et elle gémit une fois de plus, réalisant que j'avais raison.

Je l'ai fessée cinq fois de suite, prenant soin de donner un petit coup sur le plug.

« Brave fille. Tu devrais voir comme elle est belle, Jack ».

Elle l'était. Tellement sexy, tellement douce, tellement soumise. Parfaite.

« Tu vas devoir me montrer plus tard, chérie, à quelle point tu es belle avec ce plug dans ton cul. Maintenant je veux t'entendre jouir. Je vais jouir dans ma main en même temps que toi ».

Délicatement, j'ai enfoncé un doigt dans sa chatte, en frôlant ses lèvres humides. Elle poussa en arrière, se baisant elle-même. « Tu veux jouir, Katie ? ».

«Oui ! ».

« Avec mes doigts ou ma bite ? ».

« Ta queue, s'il te plaît ».

Alors que je défaisais mon pantalon, je pris le préservatif sur le bureau et le glissai sur mon érection en un temps record. Si elle voulait ma bite, j'allais la satisfaire.

Saisissant une hanche, je me suis aligné devant sa chatte et je me suis enfoncé en elle. Avec le plug, elle était déjà presque pleine, mais elle mouillait tellement que je pus m'enfoncer en une seule fois.

« Oh mon Dieu », gémit-elle.

Alors que mes hanches appuyaient sur son cul bien chaud, je me penchai au-dessus d'elle. Nous étions complètement habillés sauf pour les parties importantes. C'était la baise la plus érotique de toute ma vie et je me suis dit que plus jamais je n'arriverai à travailler sur ce bureau.

« Tu prends du plaisir ? ».

Elle hocha la tête.

« Quel effet cela te fait-il de te faire baiser avec un plug dans le cul ? » demanda Jack. « Imagine ce que ce sera quand ma queue y sera ? Sam dans ta chatte et moi bien au fond de ton cul. Nous deux ».

J'ai presque joui en l'entendant. Je voulais la baiser avec ma cousin, la prendre complètement. Faire qu'elle soit à nous.

« Oui », murmura-t-elle.

Je la pris, avec des grands gestes, lentement au début, tout en regardant son visage et voyant le plaisir qu'elle prenait. Quand j'étais sûr qu'elle en voulait plus, je l'ai baisée plus fort, plus profondément. Plus vite.

« C'est tellement pervers », dit-elle, sa voix exprimant ses envies.

Avec une main appuyée sur le bureau, je caressais de l'autre son clitoris, tout dur et tout gonflé de plaisir.

« Il est temps de jouir, ma belle. Jouis pour moi. Jouis pour Jack qui écoute au téléphone ».

Elle l'a fait, à ce moment précis, en poussant de grands cris. Ses parois intérieures se sont comprimées de manière si serrée que je ne pouvais plus me retenir.

« Meeerde », grognai-je alors que je plongeai profondément une dernière fois, perdue en elle, avec le plaisir de l'orgasme. Mon esprit était ailleurs, tandis que mon sperme remplissait le préservatif, me faisant souhaiter qu'il n'y ait pas cette barrière de latex entre nous deux. Je voulais la prendre nue, l'enduire de sperme et la prendre entièrement. Mais je n'en avais pas encore le droit. Bientôt, mais pas avant qu'elle ne nous appartienne complètement.

J'ai entendu Jack grogner dans le téléphone et je savais qu'il venait lui aussi de jouir.

Saisissant la base du préservatif, je me retirai prudemment tandis que Katie était allongée sur le bureau, sa respiration haletante et ses yeux fermés.

« A plus tard, Jack », dis-je en appuyant sur le bouton du téléphone pour me déconnecter. « Viens, poupée. Nous devons rencontrer l'agent immobilier ». Après avoir enveloppé le préservatif usagé dans un mouchoir en papier et l'avoir jeté dans la poubelle, je me suis redressé, remontant mon pantalon et rentrant ma chemise.

Allongée sur le bureau, elle avait l'air si émue, si bien baisée. Je devenais à nouveau dur simplement en la regardant. Lentement, elle se redressa sur ses coudes, ses seins poussant son soutien-gorge de manière aguichante, dépassant de son chemisier tandis qu'elle reprenait son souffle. « Quoi ? ».

« Tu veux vendre la maison, n'est-ce pas ? ». J'ai regardé ma montre. « Je pensais que tu aimerais mon rythme rapide, étant de l'Est et tout ça. Nous étions supposés la rencontrer il y a une dizaine de minutes ».

Elle se leva brusquement, son esprit fonctionnant à plein régime. Eh bien, pas complètement puisqu'elle avait un plug dans son cul, sa jupe autour de sa taille et sa culotte autour de ses chevilles. « T'es sérieux ? Nous avons ... *fait ça alors que* tu savais que nous avions rendez-vous avec l'agent immobilier ? ».

J'ai souri. « Carrément. Sally ne m'en voudra pas. Tu veux que j'enlève le plug ou tu veux le garder ? ».

Elle se raidit. Jetant un coup d'œil par-dessus son épaule, elle devint rose vif. Le rose lui allait très bien.

« Attends, laisse-moi t'aider ». Je refermais son soutien-gorge, puis son chemisier. La retournant, je lui enlevai délicatement le plug, saisis un mouchoir et le posai sur le bureau. Prenant un autre mouchoir en papier, je tendis la main entre ses jambes pour la nettoyer. Elle me fit signe que ce n'était pas la peine.

« Je peux le faire ».

« Je sais que tu peux, poupée, mais c'est mon travail de prendre soin de toi. Si je t'ai salie, alors je dois te nettoyer ».

Comme elle persistait à ne pas me regarder, j'ai embrassé son front. Jetant le mouchoir dans la poubelle, je l'ai regardée alors qu'elle tendait le bras pour remonter sa culotte.

« Ah, non. Elle est à moi désormais ». Je tendis la main et regardai diverses émotions lui traverser le visage. Surprise, embarras, menace. Je n'ai pas dit un mot, j'ai juste attendu. C'était sa volonté contre la mienne et lorsqu'elle poussa un soupir, je sus que j'avais gagné. Ce round, en tout cas.

Elle pinça ses lèvres et elle me lança un regard de tueur.

« Tu veux une autre fessée ? Je sais que tu aimes ça. Mais nous serions encore plus en retard ».

Cela la fit réagir. Elle posa un pied, puis l'autre. Elle prit sa minuscule culotte dans ma paume tendue et commença à remettre en place sa jupe. « Elle va savoir ce que nous avons fait ».

« Avec ton air de quelqu'un qui vient tout juste d'être baisé ? Absolument ».

J'aurais jurer que je l'ai entendue grommeler alors qu'elle sortit en trombe du bureau et fit claquer la porte de la toute petite salle de bain. Quand j'ai entendu l'eau couler, je ne pus m'empêcher de rire en plaçant sa culotte dans ma poche. Putain, elle était parfaite.

Quand elle sortit une minute plus tard, elle avait l'air encore en colère, mais si une lueur de douceur brillait dans ses yeux. Bon sang, j'étais sûr que j'avais quant à moi le rictus idiot d'un mec qui vient de baiser.

« Est-ce qu'elle ne va pas nous en vouloir d'être en retard ? ».

« Tu es une de ces personnes qui détestent être en retard, n'est-ce pas ? ». Alors qu'elle me jetait un regard qui en disait long, j'ajoutais, en levant mes mains devant moi, « Sally déjeune à la même heure et au même endroit chaque jour de la semaine ».

En plus d'être un bon agent immobilier, Sally Martin était aussi une mère, et elle était toujours au courant de tout ce qui se passait en ville. Y compris mes propres actes et probablement aussi ceux de Katie. Elle était mariée depuis quarante ans au maire et aussi au vétérinaire de la ville. Elle aurait était capable de convaincre Katie d'épouser deux hommes, car elle donnait l'impression d'être en lune de miel perpétuelle, tellement elle était heureuse. Le mariage de Sally était un vrai mariage d'amour et fait pour durer. C'était quelque chose que je voulais montrer à Katie, afin qu'elle prenne conscience qu'être avec deux hommes ne signifiait pas juste un coup d'un soir mais que cela pouvait durer toute une vie.

Une fois les boutons de son chemisier refermés, elle avait repris son attitude défensive. C'était presque quelque chose de tangible et je ne pouvais pas m'empêcher de sourire.

« Elle va savoir », répéta-t-elle.

Je regardais ses joues empourprées ses lèvres rouges, ses cheveux ébouriffés. Quiconque la regarderait saurait immédiatement qu'elle venait d'avoir un orgasme. Je me suis dit qu'il était inutile d'ouvrir la bouche, aussi je me contentais de lui prendre la main pour l'accompagner hors de mon bureau et la mener dans la rue.

10

ATHERINE

SAM AVAIT VRAIMENT FAIT du bon boulot pour m'aider à me changer les idées. Alors qu'il me conduisait dans Main Street, j'ai réalisé qu'il avait mentionné qu'il partageait une femme avec Jack. Et qu'ils ne me partageaient pas. Une épouse. Quand un homme utilise ce mot, ce n'est jamais une parole en l'air. Aucun mec ne sort jamais ce terme comme ça, surtout quand c'est en rapport avec lui. Mais Sam était si décontracté, comme s'il voulait vraiment qu'une femme partage sa vie - et celle de son cousin.

Ce que nous faisions ensemble n'était pas si important. Bien sûr, je n'avais jamais fait l'amour à trois auparavant, et jamais un mec ne m'avait baisée sur son bureau pendant que son cousin écoutait au haut-parleur. Je ne m'étais jamais prise un sex-toy dans le cul. Je n'avais jamais rien connu de tout cela auparavant, mais ils avaient forcé leur passage dans mon intimité la plus profonde... à moins que ce ne soit moi qui leur ait cédée...

Pour moi, ce fut une grande première sexuelle, mais tout avait eu lieu de manière naturelle. OK, ce n'était pas un coup d'une nuit. C'était simplement un festival de baise à court terme, d'une semaine. J'allais retourner à New York avec mon quota d'orgasmes pour l'année. C'était tout. Je n'avais pas le temps pour autre chose d'autre. Je ne *voulais* rien d'autre, n'est-ce pas ?

Jack et Sam ne ressemblaient en rien à Chad. Il étaient de vrais gentlemen, bien qu'un peu rustiques. Ils tenaient les portes ouvertes, s'assuraient que j'étais en sécurité, s'assuraient même que je jouissais avant eux, même si cela impliquait un doigt ou un plug dans mon cul. Mon Dieu, je pouvais encore ressentir tout ce qu'ils avaient fait, alors que je marchais dans la rue.

J'étais vraiment attirée par eux... comme l'avait démontré l'épisode avec le plug anal. Et c'était deux mecs bien. Sexy, en rut, dominants et sympathiques. Ils me faisaient penser à des trucs auxquels je n'avais jamais songé auparavant. Vivre dans le Montana, deux hommes, une toute nouvelle vie. Ma vie était à New York à un bureau, pas entre eux deux, dans un lit. Je repoussai ces pensées dans ma tête et me concentrai sur la vente de la maison de Charlie.

Il s'avérait que Swan's Diner n'était qu'à un pâté de maisons du bureau de Sam. L'endroit se tenait à l'angle de Main et de Hogan, où se trouvait probablement le seul feu rouge dans la ville, et probablement de tout le comté. Le bâtiment, comme tous les autres, était vieux et en briques. L'intérieur n'avait pas le même cachet que le Barking Dog. Comme la maison de Charlie, la déco intérieure datait des années 70. Les mobilier était rouge, le comptoir blanc avec des paillettes dorées qui brillaient. Il y avait même un juke-box dans un coin. Les odeurs de café et d'oignons grillés étaient fortes quand nous sommes entrés. Sam m'emmena vers l'arrière. Il fallut quelques minutes pour se rendre à la table de Sally car Sam devait serrer la main et dire bonjour à toutes les personnes qu'il croisait. Il connaissait *tout le monde* et il fit les présentations, bien que tout le monde me connaissait, que ce soit par les rumeurs qui couraient ou parce que les gens se souvenaient des mes visites chez Charlie quand j'étais gamine. Il y avait Bob, l'homme qui dirigeait le magasin d'alimentation. Miss Mary, l'institutrice de Sam - oui, elle devait bien avoir quatre-vingt-dix-sept ans. Et Karl, le routier.

Ils avaient tous été très gentils, ce qui avait été un choc. Alors que Sam parlait de construction autoroutière avec Karl, j'ai réalisé qu'il y avait vraiment quelque chose qui ne tournait pas rond chez moi si le fait que des gens soient sympas avec moi me choquait. Je devais m'attendre à quoi ? Je m'attendais à ce qu'ils sachent que je m'étais d'une certaine manière penchée au-dessus du bureau de Sam et qu'il m'avait fait des trucs qui étaient probablement illégaux en Utah et en Alabama. Je m'attendais à ce qu'ils sachent que je ne portais pas de culotte.

Si d'une façon ou d'une autre ils savaient - peut-être à cause de l'air très satisfait sur le visage de Sam - ils n'ont rien laissé paraître. Ils étaient sympas. Encore ce bon sang de mot ! Les gens n'étaient pas tous des crétins à New York, mais tout le monde avait une idée derrière la tête, ou un plan. Une liste de choses à faire qui n'incluait pas de prendre des nouvelles de sa mère ou de savoir si leurs citrouilles allaient être sélectionnées pour le prochain salon de l'agriculture local. Merde, je venais de me décrire.

Ce sentiment de communauté, de compassion, c'était étrange. C'était... sympa. Et crotte.

Alors que nous nous dirigions vers l'arrière, Sam se figea. « Merde », murmura-t-il.

« Quoi ? » demandai-je, en regardant autour de moi. Rien ne semblait hors de l'ordinaire si ce n'est que je venais de pénétrer au Pays du Bonheur.

« Prépare-toi. Tu es forte. Tu vas pouvoir gérer ». Sam n'en dit pas plus, mais me guida vers la banquette arrière avec une main dans le creux de mon dos.

L'angoisse me remplissait - pourquoi, je n'en avais aucune idée - mais sa main semblait moins courtoise et plus prévenante, comme pour m'empêcher de fuir.

« Maman », dit Sam.

Puuuutain. Elle saurait ce que nous avions fait et penserait que je venais de le corrompre avec mes manières urbaines et décadentes. Pas seulement son fils, mais aussi son Jack. Je venais de laisser Sam me baiser sur son bureau pendant que son cousin écoutait sur haut-parleur.

Une femme au début de la soixantaine se leva et fit face à Sam, en souriant. Tandis qu'il la prenait chaleureusement dans les bras, elle me sourit par-dessus son épaule. Elle n'avait pas l'air surprise de notre arrivée.

Bien sûr. *J'étais* la raison de sa présence, elle n'était pas là pour voir Sam. Si elle vivait en ville, je ne doutais pas un instant qu'ils se voyaient tout le temps. Elle ne lui manquait pas, elle voulait simplement me rencontrer. Qu'avait-on dit à mon sujet ? Je redoutais intérieurement ce que cette femme allait faire. Me poignarder avec un couteau à beurre ?

J'avais raison, j'étais son seul centre d'intérêt, parce qu'elle se débarrassa de Sam pour me rejoindre. Ce n'était pas difficile à faire, car même si elle était beaucoup plus petite que lui, elle était robuste et j'étais sûre qu'elle lui était déjà rentrée dedans dans le passé. Elle avait de courts cheveux noirs, des jolies mèches grises et un bref sourire.

« Je suis Violet, la mère de Sam et la tante de Jack ».

Je lui tendis la main - moite de transpiration et je l'essuyai sur ma jupe - et elle la secoua, avant de me prendre dans ses bras, tout en m'enserrant. « Ma chérie, tout le monde s'embrasse ici ».

Elle était chaude et douce et il émanait d'elle un parfum de fleurs. Son étreinte était sincère et cela me fit du bien. Je ne me souvenais pas de la dernière fois où ma mère m'avait prise dans ses bras. Et pourtant cette femme ne me connaissait pas du tout et elle était pourtant très chaleureuse. Est-ce que les gens étaient fous ici, ou était-ce moi ?

« Comment savais-tu que nous serions ici ? » demanda Sam.

Violet agita la main. « Katie est en ville pour s'occuper du testament de Charlie. Elle t'a rencontré pour signer les documents légaux et elle aura bien évidemment envie de vendre la maison. La vente de la maison signifie rencontrer Sally Martin et Sally Martin déjeune toujours au même moment et au même endroit. C'était tout bonnement logique ».

« Bien sûr » murmura Sam, en relevant le coin de sa bouche. Il me regarda rapidement, sans rien dire. A sa place, je me serais enfuie en courant.

« Assieds-toi... assieds-toi, ou nous ne mangerons jamais », commanda Sally. « Vous savez que j'ai des problèmes de diabète ». La femme blonde à la table devait être Sally. Si Violet était toute biscuits cuits au four et jardins en fleurs, Sally était toute 4 x 4 et fusils de chasse.

Violet ne cligna même pas des yeux à l'effronterie de l'autre femme, mais se rassit et se glissa sur la banquette en face de son amie. Sam me fit signe de m'asseoir à côté de Sally et une fois fait, il prit la place à côté de sa mère.

« J'ai entendu dire que vous êtes sortis ensemble hier soir ».

Je rougis et Sam remercia la serveuse pour son verre d'eau. Soit il avait eu suffisamment de coups d'un soir pour ne pas s'offusquer d'une telle question, soit il n'en laissait rien paraître. « Si vous savez déjà tout, pourquoi se rencontrer, alors ? » demanda-t-il.

Si elle savait *tout,* j'aurais été la risée de toute la ville.

« Et bien, ça fait un moment que Jack et toi n'avez pas eu une femme ensemble », dit Violet.

Je me suis presque étouffée.

« Maman, c'est complètement inapproprié », gronda Sam, tout à fait à l'aise avec sa mère.

« Je ne voulais pas le dire comme ça », répondit Violet, puis elle me jeta un coup d'œil. « Cela fait plus de dix ans que vous ne vous êtes pas intéressés à une femme ensemble. Vos pères et moi sommes heureux. Pour toi et Jack ».

« Pères ? » ai-je demandé, en regardant Sam. « Tu as aussi deux pères ? ». Bon sang, il avait dit *qu'un* de ses pères avait eu une crise cardiaque, mais je n'avais pas fait gaffe. C'était tellement bizarre.

« Oh oui, ma chère », répondit Violet, à sa place. « J'ai épousé Tom et Harris Kane il y a près de quarante ans ».

« J'étais la demoiselle d'honneur », déclara Sally. « Heureusement, les robes de demoiselle d'honneur étaient jolies à l'époque. Vous avez déjà choisi la couleur ? ».

J'ai réalisé que les deux femmes me regardaient et mes yeux étaient ronds comme des soucoupes.

« Pour quoi ? ».

« Ne l'effraie pas », avertit Sam. « Sérieusement. Elle est avocate à New York et n'est là que pour... ».

« Nous savons tout cela, mon garçon », dit Violet en lui tapotant l'épaule. « Nous allons laisser tomber les couleurs de la robe de demoiselle d'honneur si vous venez dîner à la maison avant de partir ».

Je regardai Sally et Violet, en secouant lentement la tête. « Wow, vous êtes fortes. Vous avez même bluffé votre propre fils. Bravo » ai-je applaudi. « Je dois soit vous écouter planifier mon mariage avec Sam et Jack, soit venir dîner. Comment est-ce que je peux refuser une telle invitation ainsi formulée ? ».

Je plissai les yeux vers Sam, mais il avait compris et essayait d'attirer l'attention de la serveuse.

La mère de Sam n'était pas idiote. Sally non plus, mais je n'allais pas épouser leur fils. Je devrais garder un œil sur toutes les deux. Pendant que je couchais avec Sam et Jack, ces deux-là allaient avoir envie de me marier. Ou pire.

« Alors tu veux vendre la maison ? ». Sally semblait savoir quand changer de sujet de conversation.

Je sortis une paille de son emballage, et l'enfonçai dans la bouteille. « Elle a besoin de beaucoup de travail. Les murs de la salle de bain sont couleur avocat et il y a une horloge en forme de coq sur le mur de la cuisine. C'est comme remonter dans le temps et même si je pense que le vintage est cool, on se croirait dans un épisode de *La petite maison dans la prairie* ».

« Je me souviens de cette horloge en forme de coq », dit Violet, amusée. « Je suis étonné qu'elle fonctionne encore ».

« La valeur de cette propriété provient de ses terres et des droits d'exploitation de l'eau », me dit Sally.

La serveuse arriva, stylo et papier à la main. « Comme d'habitude ? » demanda-t-elle.

Je jetai un coup d'œil aux autres qui acquiescèrent.

« Euh, y a-t-il un menu ? » demandai-je. Je n'en voyais aucun reposant entre les salières et les poivrières sur la table.

Sally me tapota la main. « Nous venons suffisamment ici, ma chérie, nous n'en avons pas besoin. Jessie connaît les préférences de tout le monde par cœur. Je prendrais un cheeseburger si j'étais toi ».

« Pas de salade ? » demandai-je, en pensant au nombre de calories dans un hamburger.

« J'espère que vous n'êtes pas végétarienne ? ». Elle avait l'air abasourdie.

« Non ». Je pris mon verre d'eau et bus une gorgée. « Je fais juste attention à mon poids ».

Sally me regarda. Elle secoua la tête. « Cheeseburger ».

Je levai les yeux vers la serveuse qui notait la commande. « Compris ».

Apparemment, j'allais devoir manger un cheeseburger.

« Pouvez-vous me parler des droits concernant l'eau ? » ai-je demandé.

Sally hocha la tête, fit signe à quelqu'un de l'autre côté de la pièce, puis se tourna vers moi.

« L'État du Montana possède toutes les eaux au sein de l'état au nom de tout le monde, et si un cours d'eau traverse votre propriété, vous obtenez le droit d'utiliser l'eau. Il y a des droits d'eau supérieurs et des droits d'eau inférieurs. La propriété avec la date de priorité la plus ancienne a le plus de droits sur l'eau. C'est-à-dire que cette propriété reçoit le droit de se servir en premier. Si une personne avec des droits inférieurs détourne l'eau d'une personne avec des droits plus anciens, cette dernière peut l'obliger à stopper son activité ».

« Ça ressemble à un problème de cours de récré », répondis-je.

Sally hocha la tête avec perspicacité. « Pas faux, mais il n'y a pas de vrai partage. Si vous avez un droit d'eau supérieur, vous pouvez détourner le cours d'eau pour votre bétail, irriguer des champs, peu importe. C'est un gros problème ici ».

« Donc, les droits de Charlie sur l'eau étaient supérieurs ? ».

Sally rit de nouveau, un rire profond et guttural. . « Chérie, *tes* droits sur l'eau sont les plus anciens de tout le comté. Je pense qu'ils datent des années 1880. Cela faisait partie du premier ranch de Bridgewater. Ce qui signifie que tu peux pratiquement faire tout ce que tu veux avec le cours d'eau ». Elle leva un doigt. « Enfin, presque ».

Cela semblait compliqué et assez intéressant. « C'est un problème intéressant pour un avocat ».

« C'est aussi un gros problème pour les agents immobiliers. Tu dois avoir l'habitude de lire des documents incompréhensibles pour le commun des mortels, donc ça ne devrait pas poser de problèmes pour toi ».

« En raison de ces droits sur l'eau, la propriété a donc encore plus de valeur ».

Sam fit tourner ses mains. « Les droits en eux-mêmes ont de la valeur. En tant que propriétaire, tu peux vendre tes droits sur l'eau et garder juste le domaine. Ou l'inverse. Tu peux vendre la propriété et conserver les droits sur l'eau ».

« Je vais devoir vérifier tout ça. Tout cela me paraît bien étrange tout de même. Pourquoi Charlie m'a-t-il tout léguée ? Je ne l'ai pas vu depuis l'âge de douze ans ».

Violet prit un air pensif. « Il connaissait la raison pour laquelle tu avais cessé de venir ».

Je fronçai les sourcils. « Eh bien, moi non ! ».

Les yeux de Violet s'élargirent. « Tu ne le sais pas ? ».

« Mes parents ont dit qu'ils avaient eu une dispute. C'est tout. Après le dernier été, nous ne sommes plus jamais revenus ».

« Eh bien, il s'est occupé de toi et je pense qu'il pensait que l'endroit serait bon pour toi ».

La serveuse apporta nos commandes, les plats en équilibre sur ses bras. Mon cheeseburger était énorme et la pile de frites à côté contenait assez de glucides pour me rendre diabétique. Je pensais aux mots de Violet alors que tout le monde commençait à manger. Pourquoi pensait-il que la maison serait une bonne chose pour moi ? Cela ne faisait rien de plus que de me donner des maux de tête. Si je la vendais, j'aurais un joli pécule. Si je la gardais, je pourrais venir ici durant les étés, mais l'entretien serait coûteux, et je devrais me débarrasser de cette horloge en forme de coq.

« Si tu veux vraiment vendre la maison, il faudra la nettoyer avant de la mettre sur le marché ».

Je hochai la tête. « J'y ai pensé. Je pense que Charlie a gardé tous les papiers et sachets en plastique qu'il a achetés à l'épicerie et il a une collection de figurines en bois qui me fait peur ».

Violet rit, pointa sa fourchette vers moi. « Je me souviens ! Elles sont effectivement effrayantes ».

« Je peux te retrouver à la maison demain matin. Cela t'intéresse ? ».

Je coupai mon hamburger en deux, soulevai le pain et y versai du ketchup. Jetant un rapide coup d'œil à Sam, je le vis grimacer en regardant son propre hamburger. Le mec avait des idées derrière la tête pour ce soir, quelque chose qui, en tout cas, pourrait m'empêcher de retrouver Sally demain.

Je plissai les yeux en le regardant. « Absolument. A quelle heure ? ».

11

ATHERINE

J'ATTENDAIS au café depuis deux heures. La femme qui dirigeait l'endroit, Maude, savait qui j'étais et m'accueillit en prononçant mon nom. Cela ne la dérangeait pas que je prenne une table dans un coin près d'une prise où je pouvais recharger mon portable et mon téléphone. Cela ne la dérangeait pas que je me branche sur la connexion Internet du bar, d'autant plus que j'en étais à mon troisième moka latte.

Pendant que je parcourais mes e-mails, messages vocaux et messages instantanés, mon esprit n'était pas complètement concentré. J'étais un peu endolorie après ma folle nuit avec les deux Kane, suivie de la séance particulièrement torride avec Sam dans son bureau. Cela n'aidait pas que les chaises soient dures, et je me suis retrouvée à me tortiller les fesses. Je leur en voulais de m'avoir distraite - et donné une fessée !

Ce n'était pas seulement la douleur de mon corps à chaque pulsation, mais mon esprit continuait à vagabonder en pensant à eux, à leur peau douce et les muscles qui couraient en dessous. Leurs voix, rugueuses et presque arrogantes. Leur parfum : celui de l'eau de Cologne épicée et celui, plus musqué, du sexe. Les orgasmes. Oui, je criais quand je jouissais, comme Jack me l'avait fait remarquée.

Je n'avais jamais crié en jouissant avant. En même temps, je n'avais jamais été baisée par quelqu'un qui savait ce qu'il faisait. Je pensais que Chad était compétent, mais en fait, non. Il n'avait aucune idée de comment me faire décoller. Sam et Jack, eux, savaient comment s'y prendre. Vraiment très bien.

Fronçant les sourcils face à mon ordinateur portable, j'essayais de me forcer à me concentrer. Je n'arriverais jamais à rien si je restais distraite par les souvenirs des Kanes et leurs mouvements délicieusement bons.

« Katie ? », m'appela une voix dans le café.

En levant les yeux de mon écran, j'aperçus une petite jeune femme aux longues boucles brunes qui se dirigeait vers moi avec un large sourire accueillant. Les deux chiots tenus en laisse derrière elle tentèrent de renifler et de se frotter contre chaque meuble sur leur chemin, mais finalement ils atteignirent ma banquette et je me retrouvai nez à nez avec Little Mary Sunshine. Je ne pensais pas avoir jamais rencontré quelqu'un de si intrinsèquement... heureux.

« Tu dois être Katie », dit-elle en tendant une main dans ma direction, ne semblant pas remarquer que ses chiens étaient en train de lécher mes nouvelles chaussures coûteuses comme si je venais de patauger dans une flaque de graisse de bacon.

« Salut », dis-je, essayant d'égaler son niveau d'enthousiasme, mais n'y arrivant pas. Étais-je supposée la connaître depuis mon enfance ?

« Je suis Angie », dit-elle. «La meilleure amie de Cara. Elle m'a tout dit sur toi ».

Ah bon ? Pendant un bref moment paranoïaque, je me suis demandée ce que Cara avait dit. Est-ce que *tout le monde* dans cette ville était au courant que j'étais au milieu d'un sandwich sexuel avec les cousins Kane ? Les gens savaient-ils ce que nous faisions dans le couloir du bar ?

« Elle a dit que tu avais hérité du domaine de ton oncle ? » demanda-t-elle. « Un homme vraiment bien, j'espère que tu vas rester ».

Je clignai des yeux, suivant son rythme rapide, ne sachant pas quoi répondre. « Oui, c'était un gars génial ». *De ce dont je me souviens.* Je me sentais si mal de ne pas l'avoir mieux connu, de ne pas avoir plus de souvenirs d'un homme qui semblait m'avoir eu en si haute estime. « Quant à la maison, je n'ai pas encore décidé ce que je vais en faire ».

Et c'était la vérité - d'après ce que disait Sally, je devais faire des recherches avant de prendre ma décision. Quant à son commentaire sur le fait de savoir si j'allais rester... j'espérais que j'avais réussi à éviter poliment le sujet.

Bien sûr, je ne resterais pas. Je ne pouvais pas. J'avais un boulot qui m'attendait. Une carrière. Pour laquelle je me cassais le cul, merci beaucoup. Ce n'était pas comme si je pouvais tout simplement changer de vie parce qu'il y avait deux amants sensationnels dans le Montana qui connaissaient exactement tous mes désirs. Une image incongrue de la bite de Jack dans ma bouche alors que Sam me baisait par derrière se forma dans mon esprit et je retins ma respiration.

Oh merde, il faisait vraiment trop chaud dans ce café. Pas de clim, ici ?

Si Angie remarqua mon embarras soudain, elle ne laissa rien paraître. Elle était trop occupée à décrire les innombrables charmes de Bridgewater. Soit cette femme travaillait pour l'office du tourisme, soit elle voulait vraiment que je déménage ici.

Pourquoi ? Peut-être était-ce la New-yorkaise blasée en moi, mais je ne pouvais pas imaginer pourquoi Angie - ou Sally ou Cara ou quelqu'un d'autre d'ailleurs - se souciait de l'endroit où j'habitais. Elles me connaissaient à peine mais elles s'intéressaient plus à mon futur bonheur que la plupart de mes connaissances. En fait, aucun inconnu ne m'aurait abordée dans un café à New York, sauf si je lui avais piqué sa place.

Mais, à part Elaine, personne ne se soucierait si je quittais Manhattan. La vie continuerait comme d'habitude, avec ou sans moi. Je me demandais combien de temps cela prendrait avant que mes parents réalisent que je n'habitais même plus en ville. Mon Dieu, quelles pensées déprimantes.

« D'accord, eh bien, je ferais mieux de promener ces chiens avant qu'ils ne me rendent folle ! », dit Angie, son large sourire ne faiblissant pas. « Est-ce que je te verrai chez Cara ce soir ? ».

« Euh... ».

« Elle va te passer un coup de téléphone pour te donner toutes les informations », ajouta Angie. Apparemment, cette femme connaissait mieux mon emploi du temps que moi.

« J'espère que tu viendras », ajouta-t-elle. « Je serai là et Declan aussi ».

Mon téléphone choisit cet instant précis pour vibrer et le nom de Cara apparut sur l'écran. Je l'ai montré à Angie. « Quand on parle du loup ».

Elle sourit - bien évidemment - et elle se leva, en prononçant les mots « à plus tard » alors même que je n'avais pas encore répondu au téléphone.

Effectivement, Cara appelait pour m'inviter à dîner. « Jack et Sam Kane seront là », ajouta-t-elle, sa voix pleine d'enthousiasme. Ouais, c'était officiel. Mon trio était de notoriété publique.

J'aurais dit oui de toute façon mais le fait qu'ils seraient là m'avait certainement donnée encore plus envie d'y être. Pourquoi ai-je sursauté en entendant leurs prénoms ? La douleur désormais familière entre mes cuisses s'intensifiait comme sur commande. Mon Dieu, je ne connaissais les Kanes que depuis plus de vingt-quatre heures et j'étais déjà accro à eux comme une drogue.

Non, pas à eux. J'étais accro au sexe incroyable. Une femme pourrait se laisser aller à devenir accro à des séances de baise torride avec deux cow-boys super sexy. Et ce n'était pas seulement les orgasmes. C'était brut et sauvage. Avec des orgasmes.

Après avoir raccroché, je me concentrai à nouveau sur mon travail. Ou du moins, j'essayais.

Le téléphone sonna de nouveau et je ne regardai pas l'écran, pensant que c'était encore Cara.

« As-tu signé les documents ? ».

Chad.

Toute gentillesse disparut.

« Laisse-moi tranquille, Chad », soupirai-je.

« La moitié de cette propriété m'appartient ».

« Parle à mon avocat ».

Son aboiement en guise de rire me fit grimacer. « Quoi, tu ne peux pas te représenter toi-même ? ».

Je pouvais, mais j'aurai du me taper toutes ses conneries.

« Parle à mon avocat », répétai-je.

« Et qui est-ce ? ».

Le visage souriant de Sam me vint à l'esprit. Je n'allais cependant pas l'obliger à se taper Chad. Je n'étais pas si cruelle. « Si tu sais pour le domaine de mon oncle, alors tu devineras aussi qui est mon avocat ».

Je raccrochai et soupirai, me rendant au comptoir pour une autre tasse de café.

De retour sur ma banquette, j'essayais de reprendre mes esprits. Tandis que Sam et Jack me faisaient perdre la tête, Chad avait la capacité de m'énerver parce que j'avais été assez sotte pour l'épouser. Le fait d'y songer ne me donnait que des brûlures d'estomac, mais je ne pouvais pas m'en empêcher. Il était tellement abruti et j'avais été si stupide. Naïve. Mais plus maintenant.

J'arrivais finalement à me concentrer, mais je n'avais pas beaucoup progressé avant qu'un autre événement ne survienne - cette fois-ci un message d'Elaine, apparu au bas de mon écran.

Comment ça se passe niveau baise ?

Mon petit rire me fit avaler ma gorgée de café de travers. Couvrant ma bouche de ma main, je regardais autour de moi avec culpabilité. La dernière chose dont j'avais besoin était quelqu'un d'autre qui lisait mes messages personnels.

J'ai regardé l'écran tout en réfléchissant à ma réponse. Elaine était clairement en train de se moquer avec son commentaire - elle ne s'attendait vraisemblablement à ce que j'aie une aventure d'un soir avec un cow-boy. Mais si seulement elle savait...

Et puis mince ! S'il y avait bien quelqu'un qui ne me jugerait pas - qui applaudirait, même - c'était Elaine. Et Cara. Et Angie. Probablement Declan, aussi. Sally. Même Violet. J'ai donc tapé les mots, et envoyé le message.

Je l'ai fait.

Je me mordis la lèvre pour retenir un rire ridicule de jeune fille. Mais vraiment, ce n'était pas tous les jours que je pouvais dire à ma meilleure amie que j'avais fait une partie à trois. Avec deux cow-boys. Deux cow-boys incroyablement sexy, à en faire saliver toutes les filles.

Sa réponse a été instantanée. *Non, c'est pas vrai !*

Elaine, tu n'as pas la moindre idée.

Je l'ai fait, je le jure.

La réponse d'Elaine fut une série de points d'exclamation et de points d'interrogation. Clairement, mon amie n'en croyait pas ses oreilles. Je pris une profonde inspiration avant de me jeter à l'eau.

Tu ne vas pas le croire, mais...

J'ai hésité une seconde. C'était une chose d'avoir une aventure avec deux cow-boys, deux fois... jusqu'à présent, mais c'était une autre chose de l'admettre. D'une façon ou d'une autre, le dire à Elaine rendait la chose encore plus réelle. C'était une chose si tout le monde à Bridgewater était au courant, c'en était une autre que de me l'admettre à moi-même.

Ce n'était pas comme si j'avais honte, j'étais juste ... choquée. Par moi-même - par le fait que j'avais autant aimé ça.

Jusqu'à hier, je n'aurais jamais pensé que je pourrais avoir une partie fine à trois, sans parler d'une relation polyamoureuse. Sans parler de la façon dont ils s'étaient occupés de mon cul.

Non pas que ce *fut* une relation. C'était juste des moments sexy... avec une attention toute particulière portée à mes fesses.

Putain, Catherine ! Pourquoi tu ne m'en dis pas plus ? Qu'as-tu fait ? Et plus important encore, comment c'était ?!

J'ai souri à l'écran et tapé rapidement ma réponse. *Deux cow-boys. Super sexy. Et c'était épique.*

La réponse d'Elaine est venue deux secondes plus tard. Je suppose qu'elle avait besoin d'un peu de temps pour digérer la nouvelle. Puis j'ai reçu : *WOOHOO !!!!*

Derrière le comptoir, Maud jeta un coup d'œil avec un sourire en m'entendant m'étrangler de rire.

Nous continuâmes pendant un moment car Elaine exigeait *tous* les détails. J'étais à peu près certaine qu'elle essayait de vivre par procuration à travers moi, et je ne pouvais pas lui en vouloir. Sa décision ? Continuer à baiser ces deux garçons aussi longtemps que je le pouvais.

Ceci, selon Elaine, était une opportunité unique. Et peut-être qu'elle avait raison. Cela ne pouvait pas durer éternellement mais je pouvais en profiter pendant que ça durait. Putain, je pouvais même engranger suffisamment de souvenirs pour le restant de mes jours, une fois de retour dans le monde réel avec mon vibromasseur.

Je déglutis en imaginant mon futur - froid, sans passion. Seule. Mais c'était la vie que j'avais toujours connue et cela se passerait une fois de retour dans mon bocal. De retour dans la ville animée, de retour à mon emploi du temps surbookée. Les réunions, les longues heures. D'une certaine manière, je n'étais pas rassurée comme j'aurais dû l'être, mais je choisis de passer outre.

En parlant du monde réel ... Je ne pouvais pas remettre ça à plus tard.

Que se passait-t-il au travail ?

Il y eut une pause avant qu'Elaine ne me réponde, *es-tu sûr de vouloir savoir ?*

Cela suffisait à faire monter ma tension et je se sentais mon estomac se nouer. Est-ce que je voulais entendre parler de toute cette merde au travail ? Non, pas vraiment. J'avais un pressentiment, mais je devais connaître la vérité, alors je lui ai dit de tout m'avouer. J'ai failli le regretter alors que les textos d'Elaine s'affichaient sur mon écran, plus déprimants les uns que les autres.

Il semblait que Roberts bossait toujours sur l'affaire Marsden et disait à tout le monde que c'était la sienne - ce qui ne m'étonnait pas de lui - mais il s'était aussi frayé un chemin jusqu'à un autre de mes clients.

Bordel de merde.

J'avais bien posé une question à Farber sur ce dossier dans un e-mail précédent, mais il ne m'avait jamais répondu. Je suppose que je savais désormais pourquoi, il était trop trouillard pour m'avouer qu'il m'avait baisée la gueule une fois de plus. Mais le pire était que je m'y étais presque attendue. En colère, certainement, mais quelque part je m'en étais un peu doutée. Farber et Roberts étaient comme deux larrons en foire avec leurs petites virées de golf et leurs parties de squash. Je savais dès le premier jour que mon entreprise était un club pour vieux célibataires, mais j'espérais que mon dur labeur et mon dévouement auraient pu dépasser toutes ces conneries. Et je n'étais partie que depuis deux jours.

Mes mains tremblaient de colère, je n'arrivais pas à écrire. Cela ne serait pas arrivé si je n'étais pas partie. Je n'avais pas pris un jour de congé depuis mon embauche, j'étais même allée bosser quand j'avais chopé la grippe l'année dernière. Et j'étais partie deux jours ! J'avais donné à ces deux connards l'ouverture dont ils avaient besoin pour qu'ils me court-circuitent. Elaine devait savoir exactement ce que je pensais.

Ils faisaient avec moi le même coup qu'ils avaient fait à Margaret Stern.

L'air se vida de mes poumons. Elle avait raison. C'était exactement comme Margaret Stern, une ancienne employée qui allait devenir associée lorsque j'avais commencé à travailler pour le cabinet. Elaine et moi avions assisté à tout, alors qu'elle se faisait avoir par Farber et ses sbires. Après quelques années à se faire exploiter, Margaret avait démissionné et nous savions tous que c'était parce qu'ils l'avaient forcée à démissionner.

J'étais conne, j'avais laissé cela arriver mais je pensais toujours que j'avais une chance, que je serais peut-être différente. Si je travaillais suffisamment dur et si je jouais selon leurs règles, je pourrais devenir associée. Oui, bien sûr.

Comme si le système n'était pas contre moi dès le départ, juste parce que j'avais un vagin. Comme si Roberts n'avait pas été le favori dès le départ.

Je secouai la tête avec dégoût à ma propre déconvenue. Se vautrer dans la colère à cause de cette injustice flagrante n'allait pas changer quoi que ce soit et n'allait surtout pas me permettre d'obtenir une promotion. Pas plus que le fait de rester dans le comté de Bridgewater, Montana. Je devais m'assurer que Roberts et Farber savaient que je ne les laisserais pas me marcher dessus. Si je voulais réclamer ce qui m'appartenait, je devais retourner à New York et reprendre les choses en main.

12

ACK

KATIE SE TENAIT devant le café quand je suis arrivé dans mon camion. Sam marcha vers elle depuis la direction opposée ; apparemment il venait directement de son bureau. Il m'aperçut et me fit un petit signe avant que nous nous tournions tous les deux vers Katie, qui n'avait pas levé les yeux de son téléphone. Elle ne nous avait pas vus arriver. Nous lui avions envoyé un texto pour lui dire que nous allions la chercher pour l'emmener dîner chez Cara une fois qu'elle aurait fini son travail, mais d'après les apparences, elle bossait encore.

C'était une évidence. Je ne m'attendais à rien de moins de notre petit bourreau de travail. Mais j'avais encore espoir que nous pourrions la dissuader de continuer, pour adopter notre style de vie... pour toujours.

Ce regard de tueuse qu'elle avait en regardant son téléphone était sacrément adorable, pour ce que j'en pensais, mais c'était vraiment frustrant de la voir tout chambouler à cause de son boulot de merde. Sam la prit sur le côté et sa voix était étonnamment douce. « Range-le, ma chérie. Tu as assez travaillé ».

Elle leva les yeux vers lui et cligna des yeux comme si elle prenait conscience de là où elle était. Elle tourna ses grands yeux bleus vers moi et je dus me faire violence pour ne pas la prendre dans mes bras et l'embrasser jusqu'à ce qu'elle oublie ce foutu téléphone. Son travail. Et même New York. Mieux encore, je voulais l'emmener dans mon camion et la baiser jusqu'à ce qu'elle oublie tous ses soucis.

Mais si tôt qu'elle eut relevé les yeux, elle reporta son attention sur ce putain de téléphone. « Attends un moment. Je dois juste envoyer un e-mail de plus ».

Sam haussa les sourcils. *Juste un e-mail de plus.* Notre Katie ressemblait à une foutue junkie quand il s'agissait de son travail. Il y aurait toujours un e-mail de plus. Je le savais parce que Sam avait été comme ça. Jusqu'à ce qu'il vit la lumière.

J'étais prêt à lui arracher son téléphone des mains, mais à en juger par le regard compréhensif sur le visage de Sam, il savait exactement ce qu'elle traversait. Étant lui-même un ancien bourreau de travail, je l'ai laissé prendre les choses en main.

« C'est quoi l'urgence cette fois-ci, poupée ? Dis-le nous ».

Hein ? C'était une nouvelle tactique. Je faisais confiance à mon cousin et il semblait que son approche était exactement ce dont elle avait besoin parce que les épaules de Katie s'effondraient avec quelque chose qui ressemblait à un soulagement déchirant d'avoir une oreille compatissante. Arracher son téléphone signifiait seulement que nous étions à côté de la plaque, ce qui était probablement vrai, au moins pour moi. J'avais toujours voulu diriger le ranch. Pas d'horaires de dingue pour moi. Le seul embouteillage que j'avais connu était un troupeau de bétail qui avait arrêté la circulation en traversant la route.

« C'est ce connard de Roberts », marmonna-t-elle en

martelant le clavier de son téléphone. « Il a pris mon dossier et il essaie d'en voler un autre. Et Farber le laisse faire ! ».

Elle leva les yeux vers nous et j'aurai juré qu'ils brillaient d'une intensité sauvage. Un mélange de stress et de colère qui la rendait si tendue qu'elle pouvait craquer à tout instant. Je n'avais aucune idée de qui étaient Roberts et Farber, mais j'aurais été prêt à les rosser rien que pour faire disparaître ce regard.

« Ensuite, il y a mon ex. Il n'arrête pas de m'appeler et il m'a envoyé un e-mail dégueulasse ».

Je pouvais voir que Sam ressentait la même chose à en juger par sa bouche crispée. Son ex ? Il dissimulait mieux sa colère que moi, mais l'un comme l'autre, nous aurions risqué notre vie pour elle - et tuer, s'il le fallait.

Son ex la faisait chier ? C'était un homme mort et nous avions des centaines d'hectares pour enterrer le corps.

« Il est déjà associé dans la boîte, ça le fait jubiler », poursuivit Katie. Je ne savais pas si elle parlait de Roberts, Farber ou de son ex. Ses doigts flottaient toujours au-dessus de son téléphone et même si elle se trouvait à Bridgewater, son esprit était clairement à des milliers de kilomètres d'ici.

« En quoi est-ce un mal ? ».

Nous avons tous les deux regardé Sam avec surprise. Katie, pour des raisons évidentes, mais quant à moi - je pouvais deviner sa pensée. Je ne m'attendais pas à ce qu'il ait cette conversation si tôt dans la soirée, alors que Katie était stressée et perdue dans ses pensées. J'avais imaginé que cette conversation aurait lieu alors nous serions tous les trois nus et heureux au lit.

Mais enfin, si Sam pensait que c'était l'heure, alors j'allais jouer le jeu.

« Serait-ce si mal ? », Katie répéta lentement la question comme si c'était la chose la plus ridicule qu'elle ait jamais entendue. « Bien sûr, ce serait mal, Sam. J'ai travaillé comme une dingue pour devenir associée. Je l'ai méritée ».

« Personne ne dit que tu ne le mérites pas ». J'essayais de garder ma voix basse, comme si je parlais à un cheval effrayé pour m'assurer qu'il ne se blesserait pas ou qu'il ne me fasse pas mal. Effectivement, elle se tourna vers moi avec ses grands yeux de dingue.

Je penchai la tête, l'étudiai. « Bébé, combien de cafés as-tu bus aujourd'hui ? ».

Elle ignora la question alors qu'elle se tournait vers Sam. « Comment peux-tu demander ça ? », insista-t-elle. « Tu devrais bien savoir, plus que les autres, ce que cela signifie pour moi... cela signifie beaucoup ».

Sam se rapprocha et plaça ses mains sur ses épaules. D'où je me tenais, je pouvais voir la gravité de son visage et je savais que Katie la voyait aussi. « Je suis désolé, Katie. Vraiment désolé. Je sais que tu as travaillé dur, et il ne fait aucun doute que tu aurais mérité cette promotion, mais est-ce vraiment ce que tu veux ? ».

Il aurait tout aussi bien pu parler en latin. Ses sourcils se sont rapprochés alors qu'elle se tournait vers moi, confuse. « C'est ce pour quoi je travaille depuis toujours. Bien sûr, c'est ce que je veux ».

« Tu veux vraiment travailler pour des porcs misogynes ? », demandai-je en me rapprochant afin de pouvoir attraper sa main et amortir le choc. Un homme, un vrai, pouvait être dominant, autoritaire et très exigeant, mais uniquement afin de protéger sa femme. Pas pour la baiser. « Tu veux vraiment te dépenser sans compter pour une boîte qui ne t'estime pas ? ».

Retirant sa main, elle s'éloigna de moi. De nous. « De quoi parlez-vous ? ».

Sam me lança un regard interrogateur, et à mon hochement de tête, il prit la parole. « Nous voulons que tu restes, poupée ».

Et voilà. Mon cousin venait de le dire et notre avenir dépendait de sa réponse. Il y eut un silence tendu pendant que nous examinions son visage. Et que nous la regardions secouer la tête.

« Je suis déjà restée ici trop longtemps. Je dois retourner à New York avant que Roberts ne... ».

« Il veut dire, pour de bon », ajoutai-je, bien que je pensais qu'elle avait compris. « Avec nous ».

A en juger par sa maladresse, elle était bien consciente que nous parlions de ne pas simplement prolonger cette aventure un jour ou deux. Elle se mise tout à coup en colère, comme je m'y attendais.

« Vous ne pouvez pas vous attendre à ce que je laisse tout tomber, ma carrière, ma maison, mes amis. J'ai une vie, vous savez ? ».

« Et je suis sûr qu'elle est parfaite », mentis-je. Ce qu'elle avait à New York n'était pas une vie, c'était une course permanente. Une compétition sans fin où le gagnant remportait un ulcère et une crise cardiaque. Et un ex qui prenait du plaisir à la torturer. Mon regard croisa le sien. « Mais nous aimerions penser que tu pourrais avoir une vie encore meilleure ici à Bridgewater... avec nous ».

Sam intervint, se rapprochant afin qu'elle soit entourée par deux hommes, obligée de nous écouter. « Nous te voulons avec nous sur le long terme, poupée. Tu es faite pour nous ».

Dédaigneuse, elle croisa les bras sur sa poitrine. Je devais supposer qu'elle ne savait pas que, ce faisant, ses seins ressortaient de manière spectaculaire. Bien sûr, cela m'avait fait bander, mais ce n'était pas le moment. Je dus me faire violence pour faire baisser mon érection.

« Vous ne pouvez pas savoir que je suis l'unique. C'est trop tôt, aussi... ».

« Nous le savons », ai-je dit. Mon ton ne laissait aucune place au débat, mais cela ne l'empêchait pas d'essayer.

Elle tourna ses yeux vers moi. « Nous avons été ensemble - si c'est comme ça qu'on peut le dire - une nuit seulement. Sans compter ce qui s'est passé sur le bureau de Sam. Vous ne pouvez pas être sûr de... ».

« Si, nous le sommes, chérie ». Sam me regarda pour m'expliquer.

Je haussai mes épaules. « C'est la façon Bridgewater. Quand deux hommes trouvent leur femme, ils savent qu'elle est la bonne. C'est comme la foudre... ».

« Oh, s'il te plaît », l'interrompit Katie, décidément pas convaincue. « Declan m'a déjà fait un discours sur le coup de foudre. Est-ce que tu t'attends vraiment à ce que je pense que ce soit si simple ? ».

La voix de Sam était basse et bourrue, emplie d'émotion. Je ne me souvenais pas l'avoir déjà entendu parler ainsi. « Est-ce que tu penses vraiment que nous ne savons pas ce que tu ressens ? Que lorsque nous te touchons, ce n'est pas... plus que du sexe ? ».

Son silence était suffisant. Pour la première fois depuis notre arrivée, une partie de la tension s'est envolée. Elle le ressentait aussi, elle ne voulait simplement pas l'admettre. Je n'avais même pas réalisé à quel point j'étais nerveux pendant cette conversation - les cow-boys ne sont pas vraiment anxieux de nature - mais là, c'était sérieux. Sa réponse affecterait le reste de nos vies.

Elle semblait le savoir aussi. Pour la première fois depuis que je l'avais rencontrée, elle semblait à court de mots.

Sam la prit par le coude et la dirigea vers la camionnette. « Allez, viens, poupée, nous sommes invités à un dîner ».

Ce n'est que lorsque nous fûmes tous à l'intérieur que Katie revint à la raison. « Vous ne pouvez pas sérieusement me demander de tout abandonner et de déménager à Bridgewater ».

« Regarde-toi », j'ai dit. « Tu es tellement stressée par ce travail, que tu tiens à peine debout. Est-ce vraiment comme ça que tu veux vivre ? ».

Elle m'a regardé fixement. « Facile à dire ! Tu n'as pas consacré toute ta vie d'adulte à ta carrière. Ce n'est pas si facile de tout plaquer comme ça ».

J'ai haussé les épaules. Elle n'avait pas entièrement tort. J'avais le ranch et je n'avais absolument aucun besoin de faire mes preuves au sein d'une entreprise. Sam était le membre de notre famille axé sur sa carrière. Il vit mon regard par-dessus sa tête, et d'un commun accord, nous laissâmes tomber la conversation. Ça ne servait à rien de discuter avec Katie - elle pouvait se disputer avec nous deux si nous laissions son cerveau prendre toutes les décisions. Non, si nous voulions la conquérir, nous devions lui montrer ce qu'elle voulait. Laisser son corps et son cœur décider.

« Donne le téléphone, poupée ». Sam lui tendit la main et quand elle hésita, il baissa la voix de manière autoritaire. « Nous n'avons plus envie de nous battre avec toi, Katie. Tu connais les règles ».

Elle lui tendit son téléphone mais pas sans marmonner une protestation. « Mon Dieu, je suis entouré d'hommes autoritaires ».

« Sam et moi ne sommes pas du tout comme ces connards avec lesquels tu travailles ».

« Nous faisons juste attention à toi, poupée ». Sam posa une main sur sa cuisse et sa respiration s'accéléra. J'aurais pu parier que cette jolie chatte était déjà mouillée simplement parce que je viens de poser ma main ici. « Et je veux que tu nous parles de ton ex ».

Elle soupira.

« Maintenant, bébé », ajoutai-je. L'avait-il frappé ? Qu'est-ce que ce connard lui avait fait ?

En deux minutes, elle avait offert un aperçu succinct du harcèlement que lui faisait subir son ex-mari. C'était ça et ça uniquement.

« Il n'a rien. Aucun motif légal », déclara Sam.

« Je sais. Il veut juste jouer avec moi ».

« Tu me donneras son numéro et je m'en occuperai. Comme il faut », ajouta-t-il.

« Quoi ? Non, je peux m'en occuper moi-même ».

« Bien sûr que tu peux », l'interrompis-je. « Mais laisse Sam t'aider. Tu n'es plus toute seule. Tu n'as pas à prendre soin de tout ».

Elle me regarda, puis Sam.

« Très bien ».

J'étais surpris, mais ravi de la voir céder si facilement. Si nous pouvions amener son ex à la laisser tranquille, ce serait alors un poids en moins pour elle.

« Tes priorités sont mal placées », lui dis-je alors que je lui serrais la cuisse, glissai ma main plus haut. « C'est à moi et à Sam de t'aider à déterminer ce qui est important dans la vie ».

« Et je suppose que le sexe avec vous deux est la chose la plus importante ». Le ton de Katie était vif mais je vis la façon dont sa poitrine bougeait alors qu'elle respirait. Elle n'était pas indifférente, quoi qu'elle dise. Comme nous le lui avons dit, un corps ne peut pas mentir. Oh oui, elle nous voulait autant que nous la voulions.

« Pas seulement le sexe », dit Sam. « Ce n'est pas qu'une question de sexe. C'est à propos de ce qui se passe entre nous. Nous voulons que tu sois heureuse. Satisfaite. Tu mérites d'être traitée correctement et que l'on prenne soin de toi tous les jours, pas seulement lorsque tu viens dans le Montana pour des affaires familiales. Nous sommes les hommes pour cela ».

Mettant le moteur en route, je jetai un coup d'œil aux genoux de Katie. « Relève ta jupe pour moi, ma chérie. Je dois m'assurer que tu ne portes pas de culotte ».

Elle s'est déplacée pour se glisser à côté de moi. « Non. Sam me l'a enlevée ce matin quand nous, euh... ».

« Quand il t'a donnée une fessée, mis un plug dans ton cul parfait avant de te baiser ?», lui dis-je. J'adorai la façon dont ses joues devenaient toutes rouges. Mais mieux encore, la façon dont elle se tortillait sur la banquette, un signe que sa chatte en voulait plus, qu'elle voulait être remplie. Je ne l'avais pas encore baisée, je l'avais seulement goûtée, et je mourrais d'envie de m'enfoncer en elle jusqu'aux couilles.

Mon sexe était dur juste en pensant aux bruits qu'elle avait faits dans le bureau de Sam. J'avais joui partout sur ma main et sur le sol en terre battue de la sellerie simplement en les écoutant. L'entendre supplier, et jouir à n'en plus finir. Bon sang, il n'y avait aucun moyen de me rendre jusqu'au ranch. Prenant la direction de Sam, en plein centre-ville, je tirai sur l'ourlet de sa jupe. « Montre-moi ».

« Je te l'ai dit, Sam l'a prise », lança-t-elle.

Dieu, qu'elle était fougueuse quand elle était excitée.

« Montre-lui », ordonna Sam.

Lentement, taquine, elle releva sa jupe jusqu'à ce qu'elle dévoile sa chatte et je poussai un gémissement. Effectivement, elle était mouillée. Je n'ai pas pu résister. Tendant la main, je caressai ses lèvres humides, glissant deux doigts dans sa chatte serrée, ce qui la fit gémir. Elle remua un peu ses hanches et je sus qu'elle en voulait plus. Elle voulait que je la baise et lui caresse le clitoris, mais je ne pouvais pas la laisser s'en sortir si facilement. Et je n'allais pas non plus la faire jouir avec mes doigts parce que son orgasme nous aurait certainement conduit droit dans le fossé. Et je ne voulais pas simplement qu'elle jouisse rapidement dans la voiture. Notre Katie avait besoin d'être montrée à quel point elle avait besoin de cela - et besoin de nous.

Je lançai un coup d'œil à Sam et il m'aida à maintenir ses hanches immobiles afin qu'elle soit bien calée sur ma main. Avec un coup d'œil rapide, je pouvais la voir se mordre les lèvres pour ne pas gémir à nouveau. Peut-être même s'empêcher d'en demander davantage, d'autant plus que je tenais mes doigts immobiles, se délectant de la façon dont ses muscles ondulaient et se crispaient autour d'eux.

« La maison de Cara n'est-elle pas dans l'autre sens ? », dit-elle, sa voix aiguë et haletante.

Bon sang, j'avais oublié le dîner de Cara. Je glissai mes doigts hors de sa chatte et les léchai alors que Sam prenait habilement ma place, ses doigts la pénétrant brutalement et ne bougeant plus, comme je l'avais fait. Quand elle arqua ses hanches et essaya de baiser ses doigts pour se libérer, il la réprimanda doucement. « Reste tranquille, beauté. Nous prendrons soin de toi quand nous rentrerons à la maison, je le promets ».

Je pris mon téléphone et appelai Cara, l'avertissant que nous aurions un peu de retard. A en juger par le rire de Cara, elle devinait pourquoi.

Katie resta silencieuse le restant du trajet et ça me convenait parfaitement. Espérons qu'elle pensait à ce que nous avions dit. Peut-être que si nous lui laissions un peu de temps, elle réaliserait que nous avions raison. Et si ça ne marchait pas, je comptais lui montrer à quel point être aimé par les cousins Kane était une chose agréable.

Sam fut rapide à agir au moment où le camion s'arrêtait. D'un mouvement, il sortit et tira Katie derrière lui, la basculant par-dessus son épaule et la hissant dans la maison, comme un sac de pommes de terre, ignorant ses protestations.

Lorsque je pénétrai à l'intérieur, Sam avait déjà ordonné à Katie de se pencher et de poser ses mains sur la table de la cuisine. Sam était clairement distrait à la vue de ces magnifiques seins qui tendaient le tissu de sa chemise alors qu'elle était penchée. Alors qu'il les libérait de leur soutien-gorge en dentelle, je m'approchai et lui donnai un coup de main en tirant sa jupe pour révéler ce cul rond et pulpeux.

Elle haleta d'indignation quand je lui écartai les jambes, sans essayer de nous arrêter. Notre petite Katie avait besoin d'une autre fessée et elle le savait. Quelle meilleure façon de la faire oublier son boulot de dingue ?

Je reculai et regardai Sam frapper à deux reprises son cul.

« Encore ? ».

« Encore », dit Sam, le bruit de la gifle retentit sur les carreaux. « Quand tu cesseras de penser à ton boulot, on arrêtera les fessées ». Il la fessa une fois de plus et j'étais comme hypnotisé par la façon dont sa chair crémeuse se déplaçait sous sa paume. « Ou peut-être pas ».

Ma bite était dure comme de l'acier dans le camion et j'étais sur le point d'exploser en voyant ce cul devenir rouge et ces seins se balancer avec l'impact. Mais ce n'était rien comparé à l'expression sur son visage - un exquis mélange de plaisir et de douleur qui la faisait se mordre la lèvre et se cambrer en arrière, en en redemandant silencieusement plus. Oui, elle ne pensait plus à son travail désormais.

Quelques autres claques et nous allions tous les trois jouir ! J'ai vu Sam tâtonner les boutons de son jean alors qu'il s'apprêtait à la baiser par derrière. Elle était prête et disponible, mais je pouvais le faire encore mieux. Tombant à genoux derrière elle, je séparai ces douces joues et la vis humide et pantelante. C'était l'invitation dont j'avais besoin.

Ses cuisses se raidirent sous mes mains tandis que ma langue retrouvait sa chatte. Passant un bras autour de ses hanches, je jouais avec son clitoris tandis que ma langue la léchait par derrière. Son gémissement était grave et doux en même temps, et j'entendis le bruit d'un emballage de préservatif qui se déchire.

Maintenant, elle était prête. J'étais à peine debout que Sam me poussait et enfonçait sa bite en elle en une seule poussée, la forçant à agripper les rebords de la table et criant son nom, mon nom... cette nana criait nos deux noms à nous !

Je vins à ses côtés et lui léchai l'oreille, mordilla son cou, pinçai ses tétons pendant que Sam la baisait énergiquement. Je murmurai à son oreille qu'elle était super chaude. Et si salope. Je lui ai dit qu'elle était à nous et seulement à nous. Je ne m'arrêtai pas, je criai en fait. Qu'elle était à nous.

Sam et elle jouirent rapidement.

« Pas trop tôt », murmurai-je, saisissant un préservatif, ouvrant mon pantalon et le faisant glisser sur ma verge. « Tu l'as baisée trois fois maintenant et je ne me suis pas encore glissé en elle ».

C'était finalement mon tour. Attrapant son corps entre mes bras, je me dirigeai vers le canapé du salon, laissant Sam se nettoyer. Avec ses cheveux ébouriffés et humides de sueur, cette maudite jupe toujours autour de sa taille, Katie n'avait jamais eu l'air aussi baisable. Je pouvais à peine attendre mon tour, mais d'abord je devais m'assurer qu'elle savait qui contrôlait la situation.

Nous nous assîmes tous les deux sur le canapé et je la tirai vers moi afin qu'elle me chevauche. Son cul bien rond portait encore les traces des coups que lui avaient administrés Sam, mais rien qui ne disparaîtrait pas au bout d'une heure.

« Jack ! ».

« A mon tour, ma chérie. A mon tour de prouver que tu nous appartiens ».

« En me donnant aussi une fessée ? ».

« Tu aimes ça. Et cela te permet de te concentrer sur moi. Ma main, ma bite contre ton ventre. Mon pouvoir ».

Je lui ai donné quelques coups légers, puis un peu plus fort, la faisant glapir.

Maintenant, je devais jouer mon rôle pour lui montrer à quel point ça pouvait être bon si elle nous laissait prendre soin d'elle. Si elle nous choisissait comme maris, nous serions en charge et elle adorerait ça. Je lui ai dit ça d'une manière ou d'une autre, et j'ai posé ma main sur son cul.

« Dis-moi ce que tu veux, ma chérie ».

Elle leva légèrement la tête, juste assez pour que je puisse l'entendre le dire. « Encore ».

« C'est vrai, bébé, tu en voudras toujours plus si tu nous laisses prendre soin de toi ».

Je redescendis ma main, puis frottai la chair endolorie, apaisant l'aiguillon que je savais qu'elle ressentait, et qui la rendait encore plus excitée. J'entendis Sam murmurer, « Oh putain » quand il entra dans la pièce. La vue de Katie étalée sur mes genoux avec son cul en l'air nous avait tous deux excités comme des animaux en rut.

Il s'assit à côté de moi sur le canapé, se positionnant de sorte que sa bite - déjà dure - se trouve sous la tête de Katie. Elle savait parfaitement quoi faire - elle la prit dans sa bouche et laissa Sam appuyer sur sa tête de haut en bas au rythme de la fessée.

J'ai attendu jusqu'à ce que je n'en puisse plus : la vision de Katie suçant la queue de Sam pendant qu'elle se faisait fesser était bien trop excitante. D'un seul geste je me repositionnais alors qu'elle était à quatre pattes, sa tête sur les genoux de Sam et son cul en l'air.

Elle ne cessa pas de sucer Sam, pas même alors que je glissai ma bite dans sa chatte et commençai à la baiser. Je ne pouvais m'empêcher de pousser un gémissement qui me déchira la gorge. Elle était si chaude, si étroite. Si mouillée. Alors que je taquinais son trou du cul, ses gémissements furent étouffés par la queue dans sa bouche. Sam jouit en premier et je la regardai avaler son sperme alors qu'il arquait ses hanches sur le canapé. Elle jouit peu après, après que j'eus caressé son clito, envoyant une onde de choc dans tout son corps. Je ne pouvais plus me retenir, j'avais trop envie de jouir à mon tour.

Elle était parfaite. Tout ce que Sam et moi avions espéré chez une femme. Elle nous voulait tous les deux à parts égales. Elle nous considérait comme deux individus et ensemble, comme les hommes capables de lui porter l'attention qu'elle méritait, ainsi que les orgasmes qu'elle voulait.

Ce n'est que lorsque nous fûmes tous propres et étalés sur le canapé que le sujet de son séjour apparut à nouveau dans la conversation. La tête de Katie reposait contre la poitrine de Sam, ses jambes sur mes genoux, l'air contente et heureuse, et avec ce petit sourire suffisant qui me faisait sentir comme un homme des cavernes. Ouais, c'était bien elle qui nous contrôlait.

Je lissai une main sur sa cuisse. « Tu nous crois maintenant, poupée ? ».

Les yeux de Katie étaient doux, repus, loin du regard stressé et dingue qu'elle avait lorsque nous l'avions récupérée. « Est-ce que je crois quoi ? ».

« Que nous te voulons pour le long terme», dis-je en lui serrant la cuisse. « Que tu es à nous ».

La surprise passa sur son visage mais elle le cacha avec un sourire. « Est-ce que c'est le message que je dois retenir après ce qui vient de se passer ici ? ». Elle agita une main vers la table de la cuisine où elle avait été baisée de manière très intense. « Parce que honnêtement, je ne vois pas en quoi une fessée est supposée me faire changer d'idée ».

Sam tordit son téton à travers sa blouse ouverte, la faisant hurler de surprise et de plaisir. « On te donne une fessée parce que tu es à nous. Parce que tu mérites d'avoir deux hommes qui veillent sur toi et qui s'assurent que tes priorités sont claires ».

Elle était calme, ce qui était un événement rare en soi. Je pris ce silence comme un bon signe. Au moins, elle ne s'énervait pas.

« Nous allons continuer à te montrer à quel point tu es très importante pour nous », promis-je. « Même si cela implique une fessée, ma chérie. Il nous fera plaisir de te montrer tout ce que tu auras si tu restes... mais on ne peut pas te forcer à quitter ta vie à New York. C'est à toi de prendre cette décision ».

Elle baissa les yeux sur ses mains, qui étaient entremêlées à celles de Sam, mais elle ne répondit toujours pas. Sam me donna un petit sourire encourageant, mais la tension le transforma en grimace. C'était ça - nous étions en train de nous dévoiler entièrement à cette femme. Une première pour nous, et définitivement la dernière fois. Nous avions été élevés avec l'assurance que lorsque nous rencontrions la femme qu'il nous fallait, nous le saurions.

Nos sentiments pour Katie était clairs comme de l'eau de roche - mais rien ne garantissait qu'elle ressentait la même chose.

13

ATHERINE

SALLY SE TENAIT à côté de moi dans le salon de Charlie et nous examinions la remarquable myriade de bibelots et de souvenirs qui recouvraient toutes les surfaces disponibles. J'étais épuisée à l'idée du temps que cela prendrait pour tout débarrasser.

« Ce sont des trucs effrayants » dit Sally en regardant par-dessus ses lunettes. Elle regardait la collection de figurines qui s'alignait sur une étagère de bibliothèque.

Je hochai la tête. C'était vraiment effrayant.

Sally traversa la pièce, s'arrêtant pour contempler les bibelots. « Alors, comment s'est passé ton dîner chez Cara hier soir ? ».

Je n'ai même pas pris la peine de demander comment elle savait cela. Je commençais à me résigner au fait qu'il n'y avait pas de vie privée dans une ville de la taille de Bridgewater. « Si je passe une coloscopie, est-ce que tout le monde sera au courant ? ».

Elle m'a regardé de la même manière que les figurines

jusqu'à ce que je réponde à sa question. Clairement, elle savait comment faire diversion. Bien. « C'était... sympa ».

Sympa. Comme si cela décrivait bien la soirée. Le dîner chez Cara m'avait permis de comprendre bien des choses, mais je ne pouvais pas expliquer ça à Sally. Comment pouvais-je dire à quelqu'un qui avait vécu à Bridgewater toute sa vie à quel point il était incroyable d'être témoin d'une relation si épanouie ? Cara et ses maris étaient si heureux. Tellement... heureux. Les hommes adoraient Cara et, clairement, elle s'en délectait. Elle était le centre de leur monde et cela se voyait dans chacun de leurs gestes. Tout comme les cousins Kane essayaient de me faire comprendre que cela se passerait de la même manière avec eux. Encore et encore, et même quand j'étais penchée au-dessus d'une table ou que je me faisais fesser.

Les choses se passeraient-elles ainsi si je les épousais ? Pas fessée, mais adorée ? Ce n'était même pas une question, en fait. La nuit dernière, j'avais eu un avant-goût de ce que ce serait d'être vraiment avec eux, d'être leur femme. J'avais eu une relation sexuelle intense avec Sam et Jack, mais j'avais également eu un aperçu de ce que serait la vie en dehors de la chambre.

Ils avaient été attentifs, tout comme les hommes de Cara l'étaient envers elle. Pour la première fois de ma vie, j'avais été la personne la plus importante au monde pour quelqu'un. Pour deux personnes, en fait. J'avais été le centre de leur attention, même dans une salle pleine de monde.

Après le dîner, nous sommes retournés chez Sam et ils ont tenu leur promesse : ils ont continué à me montrer comment les choses pourraient être. Oh putain, ce pourrait être si bon. J'avais eu plus d'orgasmes que ce que j'avais cru possible en une nuit. Et quand nous nous étions endormis, j'étais entourée par mes hommes, ma tête reposant sur la poitrine de Sam tandis que le bras de Jack était autour de ma taille. Quand je me suis réveillée au milieu de la nuit, je me sentais en sécurité d'une manière que je n'avais pas connu depuis que j'étais petite fille.

Plus que cela, je me sentais... entière. Complète.

« A en juger par ce sourire que tu portes, je devine que tu as passé une *très* bonne soirée ». Le rire de Sally me ramena au présent et j'ai feint un intérêt soudain pour la collection de billets de cinéma de Charlie pour éviter le sujet. J'en pris un pour l'examiner. « Charlie était-il sentimental ou juste un collectionneur ? ».

Sally me regarda et m'offrit un doux sourire. « Tu ne te souviens pas beaucoup de Charlie, n'est-ce pas ? ».

Je hochai la tête. Depuis que j'étais arrivée à Bridgewater, j'essayais de me rappeler des souvenirs précis de mes étés ici avec mon oncle, mais je n'avais qu'un vague souvenir de Charlie. Je me souvenais d'un grand homme qui me prenait à chaque fois que je pleurais - un homme qui me réconfortait. Réconfortant, mais triste. Bien qu'il soit triste, je ne l'ai jamais su et j'étais trop jeune pour y accorder trop d'importance.

« C'était un homme bon », déclara Sally.

« C'est ce que les gens me répètent ». Quelque chose me gênait depuis mon arrivée et alors que je regardai autour de moi, j'ai réalisé ce que c'était. Il n'y avait pas de photos. Pour un homme qui tenait à ses bibelots sentimentaux et à ses figurines en porcelaine hideuses, il était étrange qu'il ne conservât pas de photos de famille. C'était un homme qui, clairement, aimait Bridgewater et son mode de vie, alors pourquoi n'avait-il pas de femme ? Même si c'était difficile de le demander à une personne proche de ma famille, je devais savoir. « Mon oncle a-t-il déjà eu une relation sentimentale à Bridgewater ? ».

Sally me regarda avec surprise, posant une pile de magazines National Geographic qu'elle avait déplacée. « Tu ne sais rien ? ».

Je hochai ma tête. « Ma mère ne parle pas beaucoup de sa famille, et elle n'a jamais mentionné Charlie, après avoir coupé les liens avec lui ».

Sally soupira et croisa les bras sur sa poitrine, appuyée contre une table d'appoint. « Charlie était marié. Lui et son meilleur ami ont rencontré la femme de leurs rêves dès la sortie du lycée. Ils formaient un magnifique trio - tout le temps ensemble ».

J'ai essayé de ne pas laisser paraître mon choc. Peut-être aurais-je dû le deviner mais il était impossible d'imaginer quelqu'un de ma famille si stricte, avoir un mode de vie non conventionnel. Ce ne pouvait pas être le cas de ma mère.

« Que s'est-il passé ? Je veux dire, à sa famille ».

Le visage de Sally se ferma, sa bouche se resserrant en une fine ligne. « Accident de voiture ».

Je ressentis un début de nausée en entendant ses mots.

« C'est arrivé, oh, il y a une trentaine d'années », continua Sally. « Une telle tragédie. Le pauvre Charlie ne s'en est jamais vraiment remis ».

Soudain, cet étrange assortiment de souvenirs et de petits trésors n'était plus amusant, mais tragique. Charlie était passé de tout ça - le genre de bonheur que j'avais vu entre Cara et ses maris - à rien. Pas même sa sœur et sa nièce. Je m'en voulais de ne pas en savoir plus, de ne pas avoir posé de questions. D'accord, j'avais été une gosse quand ma mère m'avait dit que nous ne reviendrions plus à Bridgewater, mais j'étais désormais une adulte. Pourquoi n'avais-je pas pensé à lui poser des questions sur lui ou, mieux encore, à le contacter moi-même ?

« Je ne peux pas croire que ma mère ne me l'ait jamais dit », dis-je. « Je ne peux pas croire qu'elle lui a tourné le dos après avoir tout perdu ».

Sally haussa les épaules. « Je me souviens de ta mère. Elle était dans la classe de ma sœur au lycée. Dès qu'elle a obtenu son diplôme, elle était sortie d'ici ». Elle claqua des doigts.

Je hochai la tête. C'est ce que j'avais entendu de ma mère. Au cours des rares occasions où elle avait mentionné son enfance à Bridgewater, elle était toujours prompte à ajouter qu'elle avait échappé à ce trou paumé dès qu'elle était en âge de le faire. Sachant ce que je savais maintenant, son départ soudain prit une toute autre signification. Elle n'était pas partie parce que la ville était petite ou arriérée ou même ridiculement conservatrice, ce qui n'était pas du tout le cas. Elle était partie parce qu'elle n'aimait pas la façon dont les gens de Bridgewater tombaient amoureux.

A cette pensée, je regardai Sally bouche bée. « Est-ce que mon... je veux dire, mes étaient... oh merde, mes grands-parents étaient-ils polyamoureux ? ».

Sally laissa échapper un éclat de rire. « Bien sûr ».

Ils étaient morts quand j'étais jeune et je ne m'en souvenais pas vraiment, mais grâce à cette nouvelle information, les pièces du puzzle se mettaient en place. « Alors mon grand-oncle Albert..»..

« C'était ton grand-père ».

Et merde.

« Ils étaient très heureux », ajouta Sally. « Une équipe solide, un modèle pour les jeunes comme moi et mes maris ».

« Je ne peux pas croire que ma mère ne me l'a jamais dit ».

Sally donna une petite tape sur mon bras et je réalisai alors que j'avais toujours la bouche grande ouverte.

« Même si elle a grandi ici, je ne pense pas que ta mère ait été à l'aise avec la façon de faire de Bridgewater».

Bah tiens, me suis-je dit.

Sally se rendit dans la cuisine. « A mon avis, c'est la raison pour laquelle a cessé de venir ici ».

Je l'ai regardée avec confusion. « Pourquoi ? Pourquoi cesser de venir ici tout d'un coup ? Charlie était un homme gentil, d'après mes souvenirs. Tous ceux que j'ai rencontrés cette semaine me l'ont confirmée ».

« Il l'était, ma chérie». Sally s'arrêta devant la porte de la cuisine. « Mais ta mère... Même si elle n'était pas à l'aise avec la façon dont les choses se passent à Bridgewater... je pense qu'elle a réalisé que *tu* l'étais ».

Je tenais une tasse avec une photo du Corn Palace dans le South Dakota. « Je n'étais qu'une gamine, qu'est-ce que j'en savais ? ».

« Exactement », dit Sally. « Tu n'en savais pas assez pour juger qui que soit. Mais tu aimais être ici, tu t'amusais bien et tu étais à l'aise avec les personnes qui avaient un style de vie que ta mère cherchait à fuir. La famille de Cara. Les autres aussi ».

Je ne pouvais pas retenir l'amertume dans ma voix. Je reposais violemment ma tasse. « Alors elle a arrêté de venir ici parce que ça me rendait heureuse ? ».

Sally haussa les épaules. « Je peux me tromper. C'était juste mon point de vue. Tu devrais demander à ta mère si tu veux de vraies réponses sur ce qui s'est passé à l'époque ».

Sally entra dans la cuisine et je l'entendis ouvrir des placards et remplir une bouilloire pour faire du thé. Il était certain qu'elle me laissait le temps de digérer la nouvelle. Tout cela faisait sens. La tristesse inhérente de Charlie était le résultat d'un accident tragique, et la raison pour laquelle ma mère avait fui Bridgewater était parce qu'elle n'approuvait pas ce style de vie.

Mais pourquoi me priverait-elle de mes amis et de ma famille élargie ? Puis je me suis souvenu du commentaire de Sally. *Tu devrais demander à ta mère...*

Sans penser à ce que j'allais dire, j'ai sorti mon téléphone portable de ma poche arrière. Merde. Pas de réseau.

En entrant dans la cuisine, je décrochai le téléphone de son socle et composai le numéro. J'avais envie d'avoir des réponses. Tout de suite. « Bonjour, maman », dis-je quand elle répondit à la première sonnerie.

« Quel est le problème ? ».

« Il n'y a pas de problème, je viens... ».

« Alors pourquoi m'appelles-tu en pleine journée ? Tu n'appelles jamais en semaine. Est-ce qu'il s'est passé quelque chose au travail ? ».

« Je ne suis pas au travail». Je devais cracher le morceau avant qu'elle ne commence à me faire subir un véritable interrogatoire. « Je suis à Bridgewater ».

Le silence fut bref mais révélateur. Il en fallait beaucoup pour clouer le bec à ma mère. « Que fais-tu à Bridgewater ?».

J'allais dans l'arrière-cuisine par la porte arrière, étirant le cordon téléphonique aussi loin que possible. « Je dois m'occuper de la maison de Charlie, tu te souviens ?».

Une autre pause. « Je pensais que tu aurais embauché quelqu'un pour la vider et la mettre sur le marché. Tu n'avais pas besoin d'y aller ».

« Je voulais le faire ».

Elle soupira à l'autre bout de la ligne. « Tu as toujours aimé ce trou paumé ».

On avançait un peu.

« Ouais, j'aimais être ici. C'est l'une des raisons pour lesquelles j'appelle, en fait. J'étais curieuse de savoir pourquoi nous avons cessé de venir ».

Le silence était trop long cette fois. Elle ne s'attendait vraiment pas à cette question. « Je suppose que tu es là depuis suffisamment longtemps pour savoir que Bridgewater est un endroit singulier ».

Singulier était bien le mot pour mais ma mère avait réussi à faire sonner ce mot comme une insulte. « C'est vraiment singulier », acquiesçai-je.

Elle soupira à nouveau. « D'accord, Catherine ».

C'était la première personne à m'appeler Catherine depuis un moment. Le nom semblait désormais étrange.

« Qu'est-ce que tu veux vraiment savoir ? Ai-je grandi dans une famille hors-normes ? Oui. Charlie était-il dans une relation polyamoureuse ? J'imagine que tu as déjà découvert par toi-même la réponse à cette question ». Sa voix était pleine d'impatience, ce qui était en fait sa manière constante de s'exprimer.

« Pourquoi avons-nous arrêté de venir ici ? ». J'enroulai le cordon autour de mon doigt. « Et arrêter de voir Oncle Charlie ? ».

« Ce n'est pas un style de vie pour une jeune fille facilement impressionnable. Tu devenais suffisamment grande pour comprendre ce qui se passait, et ton père et moi ne voulions pas de ça pour toi».

« Mon Dieu, maman, tu donnes l'impression que les gens de Bridgewater faisaient des rituels sataniques ou des trucs dans le genre ».

Son ton se durcit. « Je sais tout ce qui se passe dans cette ville, Catherine. J'ai grandi là-bas, tu te souviens ? J'ai même eu deux pères. Je savais que ce qui se passait autour de moi, dans ma propre maison, n'était pas normal ».

Je jouai avec une ligne de pinces à linge attachées à une corde près de la porte et essayai de ne pas perdre mon sang-froid. La colère qui montait dans ma poitrine était entachée de tristesse, de regret. J'étais heureuse ici, bon sang. J'avais été entouré de gens qui se souciaient de moi plus que de leur carrière ou de leur image. Pourtant, ma mère avait choisi de mettre fin à tout cela. « Ce n'est peut-être pas normal, mais cela ne signifie pas automatiquement que c'est mauvais ».

« Nous ne voulions pas de cette vie pour toi. Je ne le veux toujours pas». Sa voix prit une tournure suspicieuse. « De quoi s'agit-il, Catherine ? ».

Comme je ne répondais pas, elle continua. « Ne me dis pas que tu penses y rester ».

J'ouvrais la bouche pour dire *non, bien sûr que non. J'ai un boulot qui m'attend.* Mais les mots ne venaient pas.

« Catherine ». Mon nom résonnait comme un avertissement, mais j'en avais assez. Elle avait confirmé ce que je soupçonnais à partir du moment où j'avais découvert ce qui se passait à Bridgewater. Elle m'avait gardée de cet endroit pour des raisons de bienséance, même si j'étais heureuse ici. Elle remplissait ma tête avec ses pensées négatives, à travers le téléphone. Être ici, rencontrer les gens, voir le lieu de mes propres yeux, m'avaient fait changer mon point de vue.

« Je dois y aller, maman. C'était sympa de parler avec toi». Ce n'était vraiment pas le cas, mais je ne savais pas quoi dire d'autre. Je n'allais pas l'appeler plus tard. Je n'étais même pas sûr de l'avoir vraiment aimée. Pas d'une manière saine et normale.

J'ai raccroché avant qu'elle puisse répondre. J'en avais assez entendu et je raccrochai le téléphone sur son socle au mur. Sally se tourna vers moi, deux tasses de thé en main et m'en tendit une. « Qu'est-ce que ta mère a dit ? ».

Je me forçais à sourire. « Rien que je n'avais pas déjà deviné ». Elle et mon père m'avaient forcée à accepter une image du bonheur, et de la bienséance. Pas étonnant que ma mère ait fui cet endroit - elle avait toujours cherché la normalité. Elle avait toujours été plus soucieuse d'être intégrée qu'aimée. Et c'est ce qu'elle avait voulu pour moi aussi. Une vie normale. Une vie qui correspondait à l'idéal sur laquelle elle avait jeté son dévolu. Qu'elle avait atteint.

Ce qui était triste était que, de l'avis de ma mère, ma vie à New York me faisait rêver. Bien sûr, mon mariage avait été un échec, mais c'était pour ça que les divorces existaient, non ? Toutes les personnes importantes de cette ville en avaient connu au moins un. Ce qui comptait pour elle était de savoir qu'en théorie, ma vie était parfaite et que j'avais tout. Une éducation dans une des meilleures universités, un diplôme en droit encadré au mur, une carrière prometteuse dans une grande entreprise... mon bonheur importait peu. Ma vie de tous les jours était remplie de travail, de stress et d'encore plus de travail, avec une séance de temps à autre au club de sport pour rompre la monotonie. Parce qu'on ne pouvait pas oublier qu'un corps parfait était également très important. L'apparence importait presque autant que le salaire et le boulot. J'y avais cru un moment. Mais plus maintenant.

Mon Dieu, la simple idée de rentrer m'était insupportable.

Les mots de ma mère me revinrent à l'esprit. *Ce n'était pas normal.* Elle avait raison à propos de ça. La vie à Bridgewater n'était pas normale... mais elle était mieux. Mieux que la vie que je menais à New York. Si je retournais là-bas, je retournerais à une vie routinière où je serais trop occupée pour avoir le temps de trouver un gentil célibataire et de sortir avec lui, sans parler d'une vraie relation sentimentale. Bon sang, mon travail à New York ne me laissait pas le temps pour une simple amitié en dehors du bureau.

En moins d'une semaine à Bridgewater, j'avais connu plus de joie, d'amitié, de rires et de sexe incroyable que ces dernières années à New York. Peut-être que les gens de cette ville avaient tout compris. Ils avaient certainement des priorités différentes de celles que j'avais connues dans ma vie, mais cela ne voulait pas dire que ces priorités étaient mauvaises.

Je souriais en pensant aux moyens de Sam et Jack pour m'aider à régler mes priorités. Surtout les fessées. Et mes fesses me faisaient encore un peu mal. D'autres endroits aussi. Peut-être que leurs techniques particulières fonctionnaient, après tout. Parce que je commençais vraiment à reconsidérer ce qui était important pour moi. Pas la fessée, mais la façon dont ils m'avaient tout fait oublier, me permettant de me concentrer sur ce qui était vraiment important. Et mes priorités n'incluaient pas un bureau à New York.

Il m'aurait été difficile de trouver un groupe de personnes plus attentionnées que celles de Bridgewater. Et Sam et Jack ? Mon cœur se contracta dans ma poitrine en pensant à ces deux hommes. *Mes* hommes.

Oui, ils étaient définitivement ma priorité.

Mais ma carrière aussi. J'avais déjà investi beaucoup de temps et d'énergie pour en arriver là où j'étais. Certes, je n'étais toujours pas partenaire, mais je finirai par le devenir. Tout ce dur labeur devait compter pour quelque chose, n'est-ce pas ? Je ne pouvais pas simplement faire fi de tout ça. Ou le pouvais-je ?

Sally me dit qu'elle avait un acheteur potentiel à rencontrer dans une autre propriété et après un rapide salut, elle franchit la porte, me laissant seule avec mes pensées contradictoires. Le nettoyage de fond fut une bonne opportunité de me changer les idées, aussi je m'y lançais une heure durant.

Je ne me serais probablement pas arrêté si ce n'était le téléphone de Charlie qui sonnait. L'homme à l'autre bout du fil s'est présenté : Buck Reinhardt. Le nom ne me disait rien, mais à cause de son ton arrogant et de la pause qui suivit, je devinai que j'aurais dû le connaître.

« Que puis-je faire pour vous, Buck ? ».

Il s'est avéré que Buck Reinhardt était un gros acteur dans l'immobilier du Montana - ou du moins, il semblait le penser lui-même. Il se lança dans un discours sur son entreprise et sur tous les projets de développement en cours. Pendant qu'il parlait, Sam et Jack frappèrent à la porte arrière et sont entrés, me déconcentrant de la conversation. Deux cow-boys sexy se pavanant dans de ma cuisine et mon attention s'était envolée.

Alors que Buck hurlait dans mon oreille, Jack se balança avec ce sourire sexy et passa un bras autour de ma taille, me ramenant à lui pour que je puisse sentir sa queue bien dure se presser contre son jean. Sam s'appuya contre la table de la cuisine à côté de moi et me fit un clin d'œil.

« Est-ce que j'ai votre attention, Catherine ? », demanda Buck.

« Euh... ». Je donnai un petit coup sur la poitrine de Jack mais apparemment, il prit cela comme une demande pour commencer à me mordiller le cou. Je me mordis la lèvre pour ne pas gémir dans le téléphone.

« Je n'ai pas eu la chance de connaître votre oncle, mais je n'ai entendu que des compliments sur lui », dit Buck.

« Mm-hmm ». Pourquoi parlait-il encore ? Et que faisait Jack avec sa langue pour que je ploie sur mes genoux comme ça ?

« Mais je pense que votre oncle aurait apprécié l'appartement de New York que vous pourriez acheter avec la somme que je vous propose pour sa propriété ».

Mes yeux s'ouvrirent. *Une proposition. Quelle proposition ?*

Buck me donna un montant qui me fit crier si fort que Jack recula avec surprise et Sam se leva d'un coup. Ils me regardaient avec des regards interrogateurs, mais je leur fit signe de partir en demandant à Buck de répéter ce qu'il venait de dire.

« Le montant ? ».

« Non, tout depuis le début. J'étais distraite ».

Buck répéta ce qu'il avait dit et cette fois j'écoutai, Sam et Jack attendant impatiemment à proximité. Au moment où je raccrochais, ils faisaient les cent pas dans la cuisine. « Qu'est-ce que c'était ? », demanda Sam. « C'était ton ex ? Chad ? Parce que lui et moi avons eu une petite conversation et il ne te dérangera plus ».

Je fronçai les sourcils en se demandant ce qu'il avait fait, ce qu'il avait dit à Chad, mais à cause de l'offre de Buck, j'étais incapable de me concentrer.

« Non, pas Chad. Un promoteur immobilier ».

Je leur ai dit ce qu'il m'avait dit - qu'il voulait acheter la propriété de Charlie, ainsi que ses droits sur l'eau, pour une somme tellement énorme que j'en avais mal à l'estomac. Putain de merde, je pouvais m'acheter mon propre cabinet d'avocats avec une somme pareille. Voire celui pour lequel je travaillais déjà !

Eh bien, c'était peut-être exagéré, mais c'était quand même un sacré paquet d'argent - plus que je ne pourrais économiser en une décennie avec mon salaire actuel. Buck avait raison, je pouvais acheter un appartement à New York. Finie la boîte à chaussures. Pour un investisseur, il avait fait ses recherches et travaillé son argumentaire de vente en sachant toucher ma corde sensible.

Jack marmonna un « putain » et Sam s'assit sur une chaise dans la cuisine. Par son expression sinistre, j'avais le sentiment qu'il était passé en mode avocat, pensant à tous les aspects de cette affaire.

Je le savais, parce que j'avais fait la même chose. Dès que mon estomac s'était calmé, mon cerveau était entré en action en essayant de désamorcer les pièges possibles, les ramifications légales, ce qu'il fallait faire ensuite et ce que cet accord signifierait pour moi.

« Vas-tu accepter l'offre ? « , demanda Jack. Mon regard croisa celui de Sam.

Il savait ce que j'allais dire et il me devança. « Elle doit d'abord faire des recherches à l'hôtel de ville. N'est-ce pas, poupée ? ».

J'avais déjà mes clés de voiture et mon sac en main, en hochant la tête. Pour Jack, j'expliquai : « Je ne peux même pas commencer à considérer l'affaire avant de régler les détails des droits d'eau de cette propriété et avant de connaître leur valeur. Ce sont les lois du Far West, et je n'y connais rien ».

Il se gratta le menton en fixant le sol. Je pouvais voir qu'il avait des questions en tête et j'avais une bonne idée de leur teneur. Que faire ? Si je vendais, ou même si je ne vendais pas... et ensuite ? Est-ce que je resterais ou est-ce que je partirais ?

Je ne voulais pas entendre ces questions parce que je n'avais pas les réponses. J'étais encore plus confuse qu'avant. Au lieu de rester là, je décidai de partir, ignorant la tension qui s'accumulait dans la pièce.

« Veux-tu que je vienne avec toi ? », demanda Sam. « Je peux t'emmener et t'aider à faire des recherches ».

Je lui fis un sourire reconnaissant, mais secouai la tête. « Merci, mais je dois le faire toute seul. Vous pouvez fermer derrière vous quand vous partez ? ».

J'avais presque atteint la porte lorsque la voix de Jack m'arrêta. « Sam et moi resterons et nous allons faire du tri », dit-il en désignant une pile de boîtes et de sacs poubelle. « Quand tu auras fini de faire tout ce que tu as à faire, on te retrouvera chez Sam, d'accord ? ».

Je hochai la tête. Ce n'était pas une demande, mais plutôt un ordre. Je m'étais habituée à ce que Sam soit celui qui donne des ordres mais Jack y arrivait très bien. Il traversa la pièce en courant jusqu'à ce qu'il se trouve juste en face de moi, et plaça un doigt sous mon menton pour me relever la tête afin que je ne puisse pas éviter son regard.

« Ne nous fais pas attendre, bébé. Il y a beaucoup de choses dont nous devons discuter ».

Merde. Je savais exactement de quoi ils voulaient parler, mais je n'étais pas prête. « Je pensais que tu avais dit que tu ne me mettrais pas la pression ».

Il me lança un large sourire alors qu'il me tirait brutalement vers lui. « J'ai dit ça ? ».

Oh merde. Il glissa une main sous la ceinture de mon jean et la referma sur ma chatte, utilisant ses doigts pour taquiner mon clitoris à travers le tissu fin de ma culotte. Mon gémissement le fit à nouveau sourire et j'entendis Sam se lever de sa chaise pour nous rejoindre.

« On ne te met pas la pression, poupée», dit Sam, tout en se plaçant derrière moi alors que j'étais coincé entre eux deux. Piégée de la meilleure façon possible. Il n'y avait pas d'autre endroit où je me serais mieux sentie.

« Tout ne peut pas se résoudre par une bonne séance de baise », ai-je répliqué, essayant de garder ma concentration, ce qui était presque impossible avec ces deux-là.

« Simplement bonne ? » répliqua Jack.

Sam m'entoura avec ses bras, ses mains se pressant sur mes seins à travers mon t-shirt. Mes tétons se pressaient contre le tissu de mon soutien-gorge alors que ses pouces les taquinait et je me suis retrouvée à pousser contre ses paumes, de sorte qu'il me caresse encore plus fort, comme je l'aimais.

Il ne le fit pas, et je savais que c'était exprès. Ces hommes aimaient taquiner, afin de faire monter encore plus le désir. J'étouffai un gémissement.

Ce qu'ils faisaient fonctionnait très bien.

« Nous ne t'obligeons à rien », déclara Sam. Ses mains retombèrent, mais Jack ne fit aucun geste pour me libérer de son étreinte. Sa paume était toujours fermement plaquée contre ma chatte et s'il n'arrêtait pas de faire bouger ses doigts, j'allais jouir pour lui - debout et entièrement vêtue. « Et nous n'utiliserons pas le sexe comme une arme. Mais tu dois garder en tête que nous avons très envie de toi. Ton esprit et ton corps. Cette conversation ? Tu ne pourras pas la reporter indéfiniment ».

Non, je ne pouvais pas. Le temps était compté pour ce voyage, ce qui signifiait que notre relation touchait à sa fin. « Pas indéfiniment», acquiesçai-je, ma voix paraissant irritée. Comment une personne était-elle censée argumenter efficacement quand elle était ainsi coincée entre deux hommes ?

Je voulais céder et les laisser me prendre dans la cuisine, mais je n'en avais pas le temps. « Mais pas maintenant », dis-je. « Je dois aller à l'hôtel de ville avant qu'il ne ferme ».

« Pas si vite, ma belle». Jack se pencha afin que je puisse sentir son souffle sur mon cou. « Tu ne vas nulle part avec ta culotte ».

14

ATHERINE

UN PEU PLUS TARD, je ne portais pas de culotte alors que j'entrais dans la mairie de Bridgewater. J'étais aussi beaucoup plus détendue que ce matin depuis qu'ils s'étaient assurés de me donner deux orgasmes avant que je ne mette en route. Jack n'avait pas arrêté de doigter ma chatte jusqu'à ce que je jouisse sur le pas de la porte. Après ça, ils m'avaient ordonné de retirer mon jean pour que je puisse enlever ma culotte. Sam, apparemment mécontent de laisser son cousin me donner un orgasme sans m'en donner un aussi, se mit à genoux et enfouit son visage entre mes cuisses et commença à lécher mon clitoris avec sa langue, me faisant jouir intensément alors que je m'appuyais contre le comptoir de la cuisine.

Qui a dit que le sexe ne pouvait pas être une arme ? Une arme très agréable et plaisante.

J'étais sûr que tous ceux que je croisais à l'hôtel de ville pouvaient voir que je rayonnais, mais je n'avais pas le temps de me préoccuper des potins. Le bâtiment fermait dans une heure et j'avais besoin des informations légales pour pouvoir prendre une décision éclairée. Buck ne m'avait pas obligée de lui donner une réponse immédiatement, mais je voulais savoir ce que je faisais avec la propriété de Charlie. Le plus tôt possible. Elle était trop en désordre pour la mettre sur le marché au cours des prochains jours, aussi je n'aurais pas le temps d'y penser si je retournais à New York.

Si je retournais. Depuis quand avais-je commencé à douter de mon retour ? Depuis un petit moment, si j'étais honnête avec moi-même. Bon sang, j'avais commencé à douter de retourner à New York après cette première nuit avec Sam et Jack. Et qui n'en aurait pas eu une telle pensée ? C'était vraiment tenant de se sentir désirée par deux cow-boys sexy. Pour être honnête avec moi-même, bien sûr que j'avais songé à rester.

Mais être tentée ne signifiait pas que c'était le bon choix. J'avais encore des responsabilités et une vie à laquelle je pouvais revenir.

Le greffier du service des archives m'aida à trouver toutes les informations dont j'avais besoin en moins de cinq minutes. J'ai pris la demi-heure suivante pour lire tout cela sur un petit comptoir, puis j'ai tout relu à nouveau. Après avoir fini, j'ai appelé Sally et lui ai posé quelques questions pour m'assurer d'avoir compris les détails. Le droit immobilier était fascinant, d'autant plus que j'avais un dossier qui me concernait.

Alors que je raccrochais, je savais que tout espoir de devenir un jour millionnaire en un jour s'évanouissait. Pas d'appartement chic à New York. Il s'avéra que les droits d'eau de Charlie n'étaient pas seulement très élevés, mais affectaient la plupart des ranchs du comté. Ce qui serait fait sur les terres de Charlie auraient des impacts à long terme et durables. En gros, en acceptant l'offre de Buck, je détruisais toutes les propriétés en aval de Charlie - et il s'agissait de la plupart des terres à l'ouest de Bridgewater.

Je quittai l'hôtel de ville juste avant sa fermeture et me dirigeai directement vers le bureau de Sam au centre-ville. Je connaissais les conséquences si j'arrivais en retard, mais ce n'était pas pour ça que je me précipitais. J'avais mes réponses. Même si je ne savais pas quoi faire avec toutes ces terres, cela n'avait pas d'importance. Pas en cet instant. La vérité était que j'étais trop impatiente de les revoir. Dieu, je ne pouvais pas m'éloigner d'eux plus d'une heure sans qu'ils ne me manquent.

À peu près à mi-parcours, mon portable sonna et je pris l'appel sans regarder qui appelait. Les rues étaient droites avec seulement quelques voitures, mais je ne voulais toujours pas quitter la route des yeux. J'aurais dû regarder. J'aurais vraiment dû regarder.

« J'appelais juste pour dire merci, Catherine ».

Roberts. Merde.

Un appel de l'avocat qui me piquait mon dossier était exactement ce dont ma journée n'avait pas besoin. Mais c'était son accent new-yorkais qui remplissait ma voiture et mes mains agrippaient le volant d'agacement. « Que veux-tu, Roberts ? ».

« Pas besoin de me hurler au-dessus ».

Je ne voulais surtout pas lui faire plaisir en lui demandant la raison de son appel. Son ton suffisant en disait long. J'aurais dû raccrocher, car il continua sans s'interrompre. « Je suppose que tu as entendu que j'avais réglé l'affaire Marsden. Farber était content du résultat, comme je suis sûr qu'il te l'a dit ».

Merde. Je cognais mon poing contre le volant. « C'est *mon* dossier ».

« C'était ton dossier ». Il avait du mal à dissimuler la tonalité joyeuse de sa voix. « Merci encore d'avoir pris des vacances. S'il te plaît, n'hésite pas à rester là-bas aussi longtemps que tu le souhaites. Où es-tu ? Ploucville dans le Montana ? Tu t'es mise à traire les vaches ? Je m'occupe de tes dossiers, donc... ».

Je raccrochai avant que ce connard ne puisse terminer. Mes doigts agrippèrent le volant si fort que mes phalanges devinrent blanches, et j'allais sans doute avoir un infarctus tellement ma tension était élevée. Je devais retourner.

Maintenant. Le plus tôt serait le mieux. Je ne pouvais pas perdre plus de temps au milieu de nulle part pendant que mes dossiers étaient piqués les uns après les autres. La panique faisait battre mon cœur plus rapidement. Chaque minute ici était du temps supplémentaire où Roberts pouvait s'attribuer le mérite de mon travail. Si je ne retournais pas maintenant, je perdrais pour de bon le partenariat.

Inspire. Expire. Bordel, les exercices de respiration étaient une perte de temps quand je bouillais de colère. Aucun contrôle de ma respiration n'arriverait à me calmer.

Sam et Jack pouvaient le faire. Ils savaient comment faire pour que j'oublie tout ça, pour que je me débarrasse de toute cette merde qui collait à mes basques, et que je redevienne moi-même. Il me suffisait de jouir encore et encore. Oui, j'avais besoin de baiser. J'avais besoin d'orgasmes. Dieu merci, je me rendais chez eux, car j'aurais sinon risqué d'imploser. Et si j'étais de retour à New York ? Que ferais-je alors ? Réserver un vol pour le Montana chaque fois que le stress deviendrait ingérable ? C'était un long périple juste pour des galipettes.

Je pouvais démissionner. La pensée résonnait comme un gong. Je pourrais dire au revoir au stress et à la compétition et vivre la vie comme les gens de Bridgewater - entourés d'amis, profitant de la vie. Être aimée.

Je pouvais être avocate dans le Montana. Sam l'avait fait. Pourquoi pas moi ? Mais en avais-je envie ? Cela signifiait abandonner tout ce sur quoi je travaillais, tout ce que j'avais mis en place depuis longtemps. Étais-je prête à faire ce sacrifice pour les Kane ?

Alors que je m'engageai dans l'allée de Sam, je n'avais toujours pas de réponse.

SAM

. . .

Jack et moi avions transporté des cartons de la maison de Charlie et les avions emmenés à la décharge avant de revenir chez moi pour attendre Katie. Le travail manuel avait été une grande distraction, mais désormais nous n'avions plus qu'à nous asseoir et attendre.

« Tu n'as pas l'air nerveux », dis-je. Pas que Jack ait l'air particulièrement nerveux; il était, par nature, une personne facile à vivre. Mais ce n'était pas une situation normale. Ce n'était pas tous les jours que nous demandions à une femme de nous épouser. Nous n'avions pas utilisé le mot *épouse*, pas encore au moins, mais c'était implicite. C'était ce que nous voulions dire et ce que nous voulions. Katie comme notre femme, mère de nos enfants.

Je ne me rappelais pas la dernière fois où j'avais souhaité aussi intensément quelque chose. Ce n'était rien comme Samantha Connors, ma petite amie au lycée. Je pouvais voir maintenant que Jack avait eu raison de se détourner de ça. Elle n'avait pas été celle qu'il nous fallait.

C'était Katie.

« C'est parce que je ne suis *pas* nerveux », dit Jack. Il se laissa tomber sur le canapé et étira ses longues jambes devant lui. « Katie aime être à Bridgewater. Elle restera ».

J'ai enlevé ses bottes du canapé pour que je puisse m'asseoir aussi. « J'aimerais bien être confiante comme toi ».

Il leva un sourcil vers moi. « Tu ne penses pas qu'elle aime ça ici ? ».

« Je sais que c'est le cas. Mais décider de rester signifie sortir de sa propre tête pendant plus de deux secondes et écouter son instinct ».

Jack poussa un petit grognement en signe d'acquiescement. Il savait que j'avais raison. Est-ce que Katie aimait Bridgewater ? Putain, oui. Aimait-elle passer du temps avec nous ? Bien sûr. Cette femme ne pouvait pas douter que nous étions faits pour nous entendre au lit. Nous avions fait valoir notre point de vue... nous lui avions montré à quel point ça pouvait être bon.

Mais le simple fait qu'elle aimait baiser avec nous ne voulait pas forcément dire qu'elle être prête à admettre qu'elle nous appartenait. Cela ne voulait pas dire qu'elle était prête à s'engager avec nous pour le reste de sa vie.

Jack semblait lire dans mes pensées. Il bougea pour pouvoir se pencher en avant, son regard inhabituellement intense. « Écoute, Sam, il n'est pas nécessaire qu'elle accepte de nous épouser - pas aujourd'hui, du moins. Nous avons juste besoin qu'elle reste ici. Si elle le fait... ».

Il avait raison. Si elle restait, elle finirait par être à nous. Si elle voulait qu'on la courtise, nous le ferions. Des roses, des chandelles, des balades à cheval. Peu importe. Cela avait été rapide et le coup foudre n'était pas quelque chose en lequel elle croyait. Ce n'était pas grave. Si elle restait, nous aurions tout le temps nécessaire pour qu'elle tombe amoureuse de nous.

« Tu as raison », dis-je.

Il sourit. « Bien sûr ! ».

Je pensais à la façon dont ses yeux s'étaient allumés pendant le dîner chez Cara l'autre soir. Elle avait été lumineuse et dans son élément. Riant et parlant, elle était détendue et heureuse - loin de la boule de stress que j'avais rencontrée le premier jour au bar. Elle méritait d'être comme ça tout le temps, pas seulement quand elle était en vacances.

C'était de ça, justement, que j'avais peur. Pour elle, tout ceci n'était qu'une parenthèse. Une histoire sans importance, du plaisir avec des amis - j'avais un sentiment horrible que dans son esprit, tout cela n'était qu'une pause dans la « vraie » vie. Peut-être même une distraction, avant qu'elle ne retourne au but qu'elle s'était fixée : un bureau bien placé, au sein de sa firme. Peut-être que j'avais tort et que Jack avait raison. Peut-être qu'elle commençait à réfléchir à l'idée de rester. Il y avait certainement eu des moments où je pensais que c'était le cas, mais il y avait des moments où je pouvais sentir son esprit retourner à New York et toutes les conneries qui l'attendaient là-bas. Il était difficile de se battre contre un téléphone portable, une messagerie instantanée, des e-mails et une forte personnalité.

Même si j'espérais de tout cœur que Jack ait raison, j'en doutais. Notre Katie était partagée en deux et il n'y avait aucun signe quant à sa décision finale.

Je ne me sentais pas mieux à propos de la situation lorsqu'elle avait débarqué fatiguée et irritée. La femme douce et satisfaite qui me laissait lui lécher la chatte dans la cuisine avait bel et bien disparue. Que diable s'était-il passé à pour qu'elle adopte une toute autre attitude ?

Jack jeta un rapide coup d'interrogatoire alors qu'elle passait devant lui dans le salon et je haussai les épaules en guise de réponse. Il se passait quelque chose, c'était évident. Que ce soit quelque chose qui soit en notre faveur ou non était impossible à dire.

« Qu'est-ce qui se passe, poupée ? ». Je me plaçai derrière elle et pris son sac à main de son épaule, en le posant sur une table pour que je puisse masser ses épaules et son cou. Effectivement, elle était toute tendue. Avant qu'elle n'ouvre la bouche, j'avais une bonne idée de ce qu'elle allait dire. Il y avait un nom que je commençais à détester parce qu'il avait un effet très négatif sur elle.

« Putain de Roberts », cracha-t-elle.

Jack grogna et retomba sur le canapé. Je ne pouvais pas le blâmer, à ce moment-là, j'avais l'impression que nous nous cognions la tête contre un mur de briques en essayant de faire comprendre à Katie que sa vie à New York ne la comblait pas du tout. Au moins, j'avais retrouvé son ex et l'avait appelé. Discuté de son comportement. Nous avions discuté et comme il n'était pas aussi arrangeant que je le souhaitais, je l'avais menacé de harcèlement et d'une injonction restrictive... autant d'éléments qui auraient été publics et qui pouvaient intéresser les dirigeants de Barker, Paul et Cambridge. Après cela, nous avions eu une discussion franche, et j'étais satisfait qu'il ne viendrait plus perturber Katie. Mais Roberts ? La seule façon dont il allait partir était si Katie restait. Ici, à Bridgewater, pour toujours.

« Qu'a-t-il fait encore ? » demanda Jack.

Je gémis intérieurement, souhaitant qu'il ne l'ait pas fait. Je détestais voir Katie aussi perturbée par ce trou du cul à des milliers de kilomètres. S'il pouvait la faire chier à une telle distance, je me demandais à quoi il ressemblait en personne.

Avant qu'elle ne puisse se lancer dans une tirade sur ce que ce connard lui avait encore fait, je l'interrompis. « Qu'as-tu découvert à la mairie ? ».

Elle cligna des yeux de surprise et je pouvais pratiquement voir les engrenages se mettre en marche dans sa tête. C'est pour cela qu'elle moi nous entendions si bien. Nous pensions aux mêmes choses, au même moment. De manière extrême. Je savais exactement comment la faire réagir. La faire réfléchir et la faire partir au quart de tour. Et elle faisait la même chose avec moi. Je levai les yeux pour voir Jack prendre une gorgée de bière pendant qu'il se prélassait sur le canapé.

Dieu merci, nous avions Jack pour nous sortir de cette impasse. Pour nous rappeler que la vie était parfois sacrément simple. Le trio parfait. Eh bien, sacrément proche de la perfection en tout cas.

Katie attrapa la bière de Jack, la retira de sa main et le fit rire en descendant le reste. Puis elle se tourna vers moi. « ça m'a bien ouvert les yeux, en tout cas ».

Elle raconta ce qu'elle avait appris et à la fin, Jack laissa échapper un sifflement. Étant éleveur, il connaissait parfaitement bien les droits de l'eau. Je les connaissais d'un point de vue juridique, et je savais ce que Katie possédait désormais - sans devoir aller à l'hôtel de ville. « Wow, c'est un sacré pouvoir que tu as là».

« Tu pourrais couler la moitié des ranches, rien qu'en claquant des doigts ». Juste pour quelque chose d'aussi simple et basique que l'eau. J'aurais dû garder ma bouche fermée, à en juger par le regard noir qu'elle me dardait.

« Que vas-tu faire ? » Jack regarda Katie avec un regard que je connaissais bien. C'était le même regard qu'il me donnait chaque fois qu'il m'engueulait... jouant à l'avocat du diable. Il savait que Katie ne ferait rien pour blesser cette ville ou ses habitants - parce qu'elle aimait être ici. Mais il voulait qu'elle admette ce simple fait. Peut-être alors qu'elle admettrait qu'elle voulait rester, qu'elle appartenait à Bridgewater.

Merde, parfois mon cousin était plus malin qu'il n'en avait l'air.

Katie était toute agacée, pire que quand elle était arrivée. « Que veux-tu dire, que vais-je faire ? ».

« C'est beaucoup d'argent, ma chérie ». Je fis un pas vers elle, mettant ma vie en jeu à en juger par son regard. « Personne ne t'en voudrait si tu acceptais le marché ».

Sa mâchoire s'ouvrit et elle se dirigea vers moi. Elle plaqua un doigt sur ma poitrine et dit: « Comment peux-tu dire ça ? Sais-tu ce qui se passerait si je vendais à ce développeur ? ».

« Tu serais immensément riche ? ».

Elle se raidit comme une verge et Jack sourit.

Elle se retourna si rapidement que ses cheveux me fouettèrent le visage. « Et je baiserais tout le monde ici ? ». Secouant la tête, elle recula pour pouvoir nous faire face, les bras croisés devant sa poitrine.

« Calme-toi ».

Ces mots eurent exactement l'effet inverse. Je n'aurais pas été surpris de voir de la fumée sortir de ses oreilles à ce moment-là. Elle devait bien en être consciente, maintenant. Il devait être évident qu'elle se souciait de cette ville et de ses habitants. Elle ne pouvait pas s'en éloigner plus que moi ou Jack. Cette ville était dans notre sang et nous appartenions à elle, et c'était la même chose pour Katie.

Sa vie était ici, à Bridgewater. Maintenant, elle devait juste le formuler.

« Et si je ne le calme pas, vas-tu me donner une fessée ? ».

Ces paroles étaient agressives.

« Non, bien sûr. La fessée, c'est pour quand tu as besoin d'une bonne baise et que ton esprit est ailleurs. Ça ?» Je lui fis signe de la main. « C'est toi qui te sers de ton cerveau si intelligent ».

« Alors ne me demande pas de me calmer. J'ai le droit d'être en colère contre vous deux. Si vous pensez que je pourrais faire ça, blesser tous ces gens et détruire l'héritage de Charlie dans le processus.». Elle secoua la tête et attrapa son sac à main. « Si vous pensez cela, alors clairement vous ne me connaissez pas aussi bien que je pensais ».

Elle se précipita vers la porte avant que nous puissions l'arrêter.

« Clairement, vous ne me connaissez pas du tout ».

15

ATHERINE

LES LARMES M'AVEUGLAIENT, rendant difficile la vue de la route alors que je retournais chez Charlie pour récupérer mes affaires. Mon portable sonnait, mais pour une fois, je l'ignorais. Si c'était Roberts, je serais sans doute devenue folle. Mais il m'avait fait assez de mal pour la journée. C'était Sam et Jack. Je le savais, mais je ne voulais pas leur parler. Pas Maintenant.

Je balayais les larmes alors que je courais à l'intérieur et jetais mes affaires dans ma valise. J'avais toujours détester pleurer. J'avais réagi de manière excessive là-bas et je le savais. Mais quand même, le fait que Sam et Jack pensaient si peu à moi me faisait plus mal que je ne voulais l'admettre. Je ne voulais sans doute pas rester à Bridgewater, mais cela ne voulait pas dire que je voulais blesser les gens qui avaient été gentils avec moi. Oui, j'étais une avocate impitoyable, mais je n'étais pas sans cœur.

J'avais su à cet instant qu'il était temps pour moi de partir. Ces deux-la avaient été ma faiblesse - dire que j'avais failli rester pour eux m'avait fait ranger mon fond de teint dans mon vanity avec plus de vigueur que nécessaire. Lorsque j'étais entré dans la maison de Sam, une petite partie de moi espérait vraiment qu'ils me convaincraient de rester. D'accord, une grande partie de moi.

Je voulais juste que quelqu'un - non, deux personnes - qui me désirent.

La colère faisait trembler mes mains alors que je rassemblais mes vêtements et les jetais dans les bagages. D'abord, Roberts s'était réjoui du fait qu'il avait volé mon dossier et ensuite Sam et Jack m'avaient littéralement traité de salope avide d'argent.

Ma décision était prise, alors que j'accélérais sur la route à deux voies vers l'aéroport de Bozeman. Je ne resterais pas ici si c'était comme ça qu'ils se sentaient et je jetai un coup d'œil dans mon rétroviseur alors que les lumières de Bridgewater s'évanouissaient. Coup de foudre, mon cul. D'ailleurs, je devais revenir maintenant ou risquer de perdre ma chance de devenir associée une fois pour toute. Je pouvais prendre un vol pour Denver ce soir, puis le premier vol pour New York le matin suivant. Peut-être même un vol de nuit. Je serais au bureau à neuf heures. C'était la bonne décision. Le choix inévitable. Je mettais toujours ma carrière au premier plan et rien n'avait changé, d'autant plus que mes deux cowboys brûlants ne s'y opposaient plus.

J'étais arrivée bien trop tôt pour mon vol, je me rendis donc au restaurant de l'aéroport avec la vue sur la piste et les montagnes au loin. Au bar, je commandais un vin et m'installai au comptoir. Je descendis le premier verre en essayant de réprimer le nœud qui se formait dans mon estomac. Mon esprit ne cessait de passer de mon travail auquel je retournais et la vie que je pouvais laisser derrière moi dans le Montana. J'alternais entre le stress et une solitude douloureuse.

Merde, où diable était le barman avec mon deuxième verre ?

Elaine appela pendant que j'attendais. Sérieusement,

combien de temps lui fallait-il pour ouvrir une nouvelle bouteille ? Sa voix familière aurait dû être un réconfort, mais à ce moment précis, c'était un simple rappel de la vie vers laquelle je retournais. Les coups fourrés au bureau, les alliances et les luttes comme si nous étions dans une sorte de bataille rangée non des collègues dans la même entreprise. Roberts était impitoyable, vindicatif et n'avait aucune éthique. Une combinaison parfaite pour un avocat.

« As-tu entendu les nouvelles ? » demanda-t-elle dès que je décrochais.

« Je vais bien, merci de demander. Et comment vas-tu ?». Le barman revint et me resservit généreusement. Quand je levai les yeux, il inclina la tête vers mon téléphone, puis fit un clin d'œil.

Elle ignora ma tentative de faire de l'humour. « Roberts dit à qui veut l'entendre que tu n'as pas la trempe pour être partenaire. Quel connard ! Il a dit à Ronald qu'il t'avait fait peur et... ».

« Je dois y aller, Elaine. Je dois embarquer sur mon vol ». Je raccrochai avant qu'elle n'ait le temps de répondre et but une gorgée de vin. Il me restait une heure avant l'embarquement mais je ne pouvais plus l'écouter. Je ne pouvais tout simplement pas. Et pas seulement parce que j'étais en colère mais parce que je m'en foutais. J'avais atteint ma limite. Cette merde ne m'atteignait plus. Tout paraissait soudainement ridicule. Juvénile, même. New York semblait à des millions de kilomètres et je n'avais aucune intention de m'en rapprocher.

Je n'avais plus de soucis.

La liberté m'a submergée comme une vague exaltante. Merde à cet endroit. Merde à Roberts. Merde à Farber. Ils pouvaient tous aller se faire foutre.

C'était comme si j'avais juste arraché une paire d'œillères et que je pouvais voir clairement pour la première fois depuis très longtemps. Pourquoi retournais-je là-bas ? Et pour quoi ? Un boulot peu gratifiant, une entreprise qui ne m'appréciait pas du tout, une vie sans amis en dehors d'Elaine ou des amants qui savaient exactement comment me faire réagir et comment me faire crier. Une vie amoureuse sans petit ami, et deux encore moins. Pourquoi choisirais-je cela par rapport à ce que j'avais ici ?

À Bridgewater, j'avais un héritage familial. J'avais des racines. J'avais une ville pleine de gens qui semblaient vraiment se soucier de moi. Et sans doute encore plus important, j'avais quelque chose qui ressemblait à l'amour.

Merde. *L'amour.*

En pensant à Sam et à Jack mon cœur se serra dans ma poitrine. Peut-être qu'ils avaient raison et ce que nous avions était quelque chose de vraie. J'avais développé pour eux en quelques jours plus de sentiments que je n'en avais jamais connus avec Chad. La seule façon de savoir si c'était vrai était de rester pour le découvrir. Je me souvenais de l'expression de Jack : « coup de foudre ». La foudre pouvait-elle frapper dans un bar d'aéroport ?

Le barman sourit largement alors qu'il tenait la bouteille de vin, demandant du regard si j'en voulais plus. J'ai tardivement réalisé qu'il me rendait mon sourire qui n'était pas provoqué par le vin. Je rayonnais comme un putain de crétin et je m'en fichais.

Oui, j'étais aussi douce que Roberts le disait à tout le monde. Je n'étais pas impitoyable. J'étais gentille. Respectueuse. Tendre. Et j'avais deux hommes qui m'aimaient comme ça.

C'était tout. J'en avais fini avec New York. J'en avais fini avec les connards misogynes comme Roberts et Farber. Il était temps de dire adieu à une existence de compétition et de lutte solitaire et sans signification. Dire au revoir à un appartement de la taille d'une boîte à chaussures et l'échanger pour de vastes cieux et des grands hommes.

Au lieu de commander un autre verre, je demandai l'addition.

L'adrénaline me faisait plus tourner la tête que le vin. Je le faisais vraiment. J'allais quitter mon travail. Mieux encore, j'allais rester à Bridgewater.

J'ai ramassé mon portable avant de me mettre à cogiter. Tout comme Jack et Sam essayaient de me le faire comprendre, j'ai cessé de tout analyser et de m'inquiéter. J'étais fatigué de ma peur et de mes insécurités qui me faisaient changer d'avis. Je devais être courageuse et suivre mon instinct et mon cœur pour une fois dans ma vie, sinon je finirais triste et esseulée comme ma mère.

Mes doigts tremblaient alors que je cherchais les coordonnées de Sally et l'appelais. « Sally ? Désolé d'appeler à une heure aussi tardive. Il y a eu un changement de plan. Je ne suis pas prête à vendre. Pas encore, du moins ». Son cri de joie me fit éloigner le téléphone de mon oreille. Il me semblait qu'elle et Violet Kane attendaient cet appel depuis qu'elles avaient fait ma connaissance.

Après avoir raccroché, je me suis précipitée vers la porte pour récupérer mon sac. Il a fallu parler à deux employés, un agent de bord et un directeur, mais j'ai fini par récupérer mon sac en leur disant que je ne voulais pas me faire rembourser le prix du billet.

Tant pis pour mon vol, je rentrai à la maison.

À Bridgewater. À la maison avec la pendule en forme de coq et les figurines immondes.

Je ne pensais pas que je m'étais déjà sentie aussi légère qu'à ce moment, quittant le comptoir et tenant mon sac. Je ne me soucia aucunement de ce que j'allais dire à Farber le lendemain matin quand j'allais l'appeler, ni de ce que mes parents penseraient de ma décision. Tout ce qui m'intéressait, c'était de retrouver Sam et Jack.

Je devais m'excuser. Bon sang, j'avais été une vraie idiote. J'avais été tellement énervée qu'ils puissent penser que je privilégierais l'argent et le prestige plus que Bridgewater et ses habitants. Mais pourquoi pensaient-ils cela ? Je ne les connaissais pas depuis longtemps et à chaque opportunité, j'avais privilégié le boulot plutôt que le reste. Ils m'avaient donné une fessée suffisamment souvent. Cela avait cessé désormais. Enfin, pas les fessées. Que j'aimais bien, d'ailleurs.

Ils avaient passé tellement de temps à me montrer ce que mes priorités devaient être, et j'avais été trop têtue pour le voir. Eh bien, plus maintenant. J'ai repris mon rythme en me dirigeant vers les portes coulissantes. Maintenant, c'était à mon tour de leur montrer ce qui comptait vraiment pour moi. J'avais presque atteint la sortie lorsque je m'arrêtais. Je distinguais mes deux hommes, toujours aussi sexy. Mon cœur s'emballa rien qu'en les voyant.

Mes hommes. J'aimais le son de ces deux mots. Cela sonnait bien, tout comme le fait qu'ils m'appellent « leur femme ». Nous étions ensemble désormais et il m'appartenait de leur montrer que j'avais bien retenu la leçon.

16

ACK

J'ENTENDIS le soupir de soulagement de Sam alors que nous traversions l'entrée de l'aéroport et repérâmes Katie. Dieu merci, nous l'avions attrapée avant qu'elle ne retourne à New York. Nous avions gaspillé trop de temps à débattre de ce que nous devions faire après qu'elle soit partie. Sam et moi avions eu une dispute pour savoir qui était responsable de son départ impromptu. Il avait pensé que nous l'avions poussée trop loin, mais j'étais certain que la pousser était la seule façon de la forcer à ouvrir les yeux et à voir ce qui se trouvait juste devant son visage.

Ce n'était pas si simple. Il avait fallu à Sam la crise cardiaque de son père pour qu'il rentre chez lui et réalise ce qu'il voulait vraiment. Katie devait trouver un véritable sens à sa vie, et décider si sa vie citadine en valait la peine. Ce genre de décisions n'est pas simple à prendre et Katie avait analysé chaque détail avant de trouver la réponse. Et le fait que nous étions là, à la pousser et lui donner des fessés, n'allait pas l'aider.

Nous étions simplement d'accord pour lui donner de l'espace pour le reste de la nuit lorsque Cara nous téléphona et nous dit que Katie lui avait envoyé un texto avec des instructions sur l'endroit où trouver la clé de la maison de Charlie. Il semblait que notre Katie était bel et bien partie. À l'improviste. Elle avait pris sa décision.

Autant pour l'idée de lui laisser le temps de respirer. Sam et moi n'avons pas perdu de temps, nous sortîmes en courant, sautâmes dans mon camion et prirent la direction de l'aéroport. Sur le chemin, nous avions tous les deux réalisé que la seule chose que nous ne lui avions pas dit était que nous étions amoureux d'elle. Nous n'étions pas seulement deux cowboys qui cherchaient à la soulager. Nous n'étions pas deux hommes qui voulaient une femme. Non, nous la voulions parce que nos cœurs lui appartenaient. Peut-être que si nous avions lui dit ça, nous n'aurions pas eu à lui courir après.

Au moment où nous sommes entrés dans le terminal, nous l'avons vue.

Je me tournais vers Sam avec un sourire. Il semblait que nous étions arrivés juste à temps.

Elle se précipitait vers nous, tirant sa valise derrière elle, mais elle s'arrêta net en nous voyant. Pendant une seconde, j'ai pensé à la prendre par-dessus mon épaule et la ramener à la maison. Elle était censée être avec nous et si elle ne s'en rendait pas compte maintenant, elle s'en rendrait sûrement compte après que nous l'ayons bien baisée toute la nuit. Mais depuis que nous l'avions rencontrée, nous nous étions comportés comme des hommes des cavernes. Oui, elle avait besoin d'hommes dominants dans sa vie car, bien qu'elle fût intelligente et entêtée et qu'elle était une excellente avocate, c'était aussi une femme soumise. Nous avions essayé de lui enlever ses pensées négatives, mais nous l'avions également empêchée de les résoudre par elle-même. Il m'a fallu tout mon contrôle pour lui laisser l'espace dont elle avait besoin pour comprendre, à partir du moment où elle ne montait pas dans ce foutu avion.

Le regard vide de surprise sur son visage fut remplacé par un sourire géant et toute la tension s'envola devant ce spectacle magnifique. Sam s'approcha de moi et murmura: « Dieu merci ».

Amen à cela. Une seconde plus tard, elle abandonna le sac et revint en courant vers nous. Je l'ai attrapée dans mes bras et serrée pour que je puisse planter un baiser sur ces lèvres douces. Je l'ai écrasée en espérant qu'elle pourrait sentir tout ce que je ne pouvais pas dire à ce moment-là. Qu'elle sache que j'avais été terrifié à l'idée qu'elle parte pour de bon, et que j'étais heureux qu'elle revienne à la raison.

Elle m'embrassa avec une intensité chaleureuse avant de remuer son corps pour qu'elle puisse glisser jusqu'au sol. Sam l'attrapa au moment où ses pieds touchaient le sol du terminal et l'attiraient dans une étreinte.

Sam n'allait pas se laisser avoir. Surtout pas par moi.

Après qu'ils eurent partagé un baiser qui faillit déclencher les alarmes à incendie, je lui tapai sur l'épaule et il recula, laissant une Katie étourdie retomber dans mes bras. Je passais mon bras autour de sa taille pour la maintenir debout. « Tu vas quelque part, ma chérie ? ».

Putain, j'espérais que non.

Elle secoua la tête. « Plus maintenant ».

Sam s'avança pour tendre la main et lui caresser la joue. « Tu pleurais, poupée ? »

Hochant la tête, elle répondit: « J'étais contrariée. C'était stupide ».

J'ai échangé un regard avec Sam. J'avais appris ma leçon en poussant Katie trop loin, mais il me fit un hochement de tête. « Donc, puisque tu n'es pas sur ton vol, est-ce que ça veut dire que tu vas rester ici un peu plus longtemps ? ».

« Non ».

C'est quoi, ce bazar ? Pour la première fois, il m'est apparu que son vol avait peut-être été retardé. Ou peut-être avait-elle réservé un vol plus tard.

Son sourire était lent et doux. « Je reste pour de bon ».

Sam laissa échapper un cri, un mec en jeans et avec un t-shirt camouflage se retourna, et je pris Katie pour un autre baiser. Alors que je la reposai au sol, elle nous regarda, confuse. « Que faites-vous ici, les gars ?».

« Nous sommes venus te chercher », dit Sam. « Cara nous a dit que tu étais partie ».

« Si nous arrivions trop tard, nous étions prêts à acheter des billets pour New York », ai-je ajouté. Je pris sa main dans la mienne. « Je suis désolé, Katie. Nous avons été durs avec toi à la maison. Peut-être trop durs ».

Elle secoua la tête rapidement. « Non, vous ne l'étiez pas ».

Sam ne la laissa pas finir. « Nous l'étions. Mais c'était seulement parce que nous voulions que tu voies que tu as toujours, au fond de toi, eu envie de vivre ici ».

« Nous savions que tu ne vendrais jamais au promoteur », ai-je dit.

Des larmes coulaient dans ses yeux et je dus me faire violence pour ne pas la prendre à nouveau dans mes bras, et ne plus la relâcher.

« Vraiment ?Tu savais que je prendrais la bonne décision ? ».

Sam répondit : « Évidemment. On ne te connaît peut-être pas depuis longtemps, mais on te connaît bien quand même ».

« Il n'y avait aucun doute dans mon esprit », ai-je dit. « Nous avions juste besoin que tu prennes conscience à quel point tu te soucies de Bridgewater ».

Elle hocha la tête. « Je me soucie de Bridgewater ». En baissant la tête, elle nous jeta un coup d'œil par en dessous. « Et vous aussi. Tous les deux ».

Sam passa un bras autour de ses épaules et je lui serrai la taille. À ce moment, tout semblait se mettre en place - pour moi, au moins. Avec Katie blottie contre moi, et Sam à côté d'elle, les choses étaient comme elles devaient être. Nous étions une équipe, exactement comme nos parents l'avaient prévu.

Nous nous faisions également remarquer. L'aéroport n'était pas bondé, mais nous avions continué comme si nous étions seuls dans une bulle et pas au milieu d'un hall d'aérogare.

« Peut-être devrions-nous continuer ailleurs », déclara Sam. Il alla prendre les bagages pendant que je prenais la main de Katie et la conduisais vers la sortie.

Sam nous rattrapa alors que nous traversions le parking en direction de mon camion.

« J'ai rendu ma voiture de location », dit Katie, comme s'il ne faisait aucun doute qu'elle reviendrait avec nous.

« Nous devrons te trouver une voiture », dit Sam. « Tu ne peux pas toujours avoir une voiture de location ».

Toujours. Le mot traînait dans l'air frais de l'été. Pendant une seconde, j'étais sûr qu'elle allait repartir. Je connaissais désormais bien ce regard de poulain craintif. Prenant une profonde inspiration, elle ajouta: « Ouais, je suppose que tu as raison. Où est-ce qu'une fille pour trouver une voiture d'occasion ici ? ».

En un éclair, son regard apeuré avait disparu. Peut-être qu'elle voulait cette nouvelle vie après tout.

Nous avons atteint le camion quand Katie s'arrêta et leva les yeux vers nous. « Je sais ce que j'ai dit... à quel point j'avais besoin de cette promotion et combien il était important que je retourne à New York ».

J'échangeai un coup d'œil rapide avec Sam. Que racontait-elle ?

« Je comprends si vous ne me faites pas confiance ou si vous ne comprenez pas ma décision». Son expression était si sérieuse qu'on aurait dit qu'elle allait annoncer une mauvaise nouvelle. « Mais je sais ce que je fais. Il se peut que mes priorités n'étaient pas les bonnes, mais désormais tout est clair. Je reste à Bridgewater, c'est ici que je veux être ».

Je souris à Sam avant de me retourner vers elle. « Nous le savons, ma chérie ».

Sam intervint. « Tu n'as pas à t'excuser de ne pas l'avoir compris tout de suite. Tu n'as pas grandi ici et tout cela est nouveau pour toi. On ne s'attend pas à ce que tu t'adaptes du jour au lendemain ».

Je passais ma paume dans son dos et effleurait son cul dodu à souhait. « Tu auras suffisamment de nuits pour t'y habituer ».

Je voulais lui dire ce que je ressentais, laisser Sam prendre le temps de faire la même chose, mais le parking de l'aéroport n'était pas l'endroit idéal.

Elle rit alors que je l'aidais à monter dans le camion. Quand elle se tourna vers moi pour me sourire, la justesse de tout ça me fit sourire. Je savais que c'était elle depuis notre rencontre dans l'avion. Quand elle m'avait accidentellement enfourché, tout en moi avait dit *que c'était elle.* Je savais que Sam pensait la même chose à partir du moment où il l'avait repérée dans le bar. Mais nous avions été élevés à Bridgewater dans le but de trouver notre femme et d'être capables de la reconnaître instantanément... ce n'était pas un concept étranger pour nous. Mais Katie ? Elle devait apprendre à faire confiance à son cœur. Et à nous.

Je grimpai pour m'asseoir à côté d'elle, mon sexe durcissant à vue d'œil en pensant à toutes les façons dont nous la récompenserions pour avoir pris la bonne décision, pour lui montrer comment nous nous sentions.

Sam s'assit de l'autre côté de Katie après avoir mis son sac à l'arrière. J'ai vu sa main se tendre pour caresser sa cuisse nue juste au-dessus de son genou où sa jupe s'arrêtait. Ouaip, mon cousin et moi étions sur la même longueur d'onde.

J'avais bien appris la leçon : plus jamais je ne mettrais la pression sur cette femme. Je caressai sa jambe qu'elle pressait contre la mienne et la pinçai légèrement. « Écoute, ma chérie. *Nous* savons que tu es celle qu'il nous faut et nous sommes assez têtus à ce sujet. Tu peux prendre ton temps pour le comprendre par toi-même, tant que tu ne t'enfuies pas. On ne te mettra plus la pression».

Sam acquiesça. « On a essayé de te faire plonger tout de suite dans le grand bain en te disant que tu es celle que nous attendions, n'est-ce pas ? A partir de maintenant, nous te promettons de te laisser faire ta propre opinion ».

Katie resta silencieuse quelques instants, les yeux fixés sur nos mains caressant ses cuisses. Elle se pencha, attrapa nos mains et les serra. « Merci ! Vraiment ! J'apprécie beaucoup ». Elle se tourna pour me regarder, puis Sam, puis glissa ses mains le long de ses cuisses, remontant sa jupe. J'avais quitté la place de parking, mais je n'avais pas encore atteint la route. J'appuyais sur les freins pour regarder ce qu'elle faisait. Je déplaçais ma main le long de sa jambe, tout comme Sam. En soulevant ses hanches, elle enleva sa culotte en dentelle de couleur lavande et la fit glisser le long de ses jambes. Alors qu'elle la tenait à la main, le tissu délicat pendait le long de son doigt et elle écarta les genoux pour exposer sa chatte. « Mais si ça ne vous dérange pas, je préférerais que vous me preniez tous les deux ».

Sam grogna et attrapa sa culotte, posa sa main sur son genou. « Bonne fille, Katie ».

En posant ma main sur son autre genou, nous regardâmes sa chatte exposée alors que j'appuyais de tout mon poids sur l'accélérateur et filais vers mon ranch comme si le diable était à nos trousses.

17

ATHERINE

AU MOMENT où nous sommes arrivés au ranch de Jack, j'étais en feu. Cela aurait pu être la montée d'adrénaline et l'exaltation de voir Sam et Jack à l'aéroport qui m'avaient poussée à être aussi audacieuse, mais non. C'était qu'ils avaient raison depuis le début. Oui, ils étaient exigeants et autoritaires, mais j'en avais besoin. *Je* le *voulais*. Je les voulais, eux. Aussi, alors que j'enlevais ma culotte et la leur tendais, c'était un indice, certes très coquin, que je me donnais à eux. Pour leur faire savoir que je me soumettais à eux. Je voulais être entre eux, le reste du monde important peu. Bien sûr, ne plus avoir de culotte n'allait pas résoudre mes problèmes, mais c'était un rappel que j'avais Sam et Jack. Je n'étais plus seule.

Alors que Jack éteignit le moteur de son camion devant sa maison, je vibrais d'émotions refoulées. Heureusement, j'avais mes hommes pour m'aider avec ça.

Mes hommes. Je commençais à m'habituer à l'idée, lentement mais sûrement. Je leur dirais ça. Mais pour l'instant, tout ce que je voulais, c'était m'exhiber pour eux.

« Jack », dis-je en entrant dans sa maison, son bras autour de ma taille. « Quand exactement as-tu su que j'étais la seule et unique ? ».

Son sourire lent me dit qu'il avait parfaitement deviné mon arrière-pensée. Retombant sur le canapé, il tapota ses genoux. « Je crois que tu étais à cette place ici ».

Sam s'appuya contre le chambranle de la porte alors qu'il me regardait pendant que je défaisais la fermeture à glissière de ma jupe, la faisant tomber au sol, nue à partir de la taille. Je chevauchais Jack. « Ici ? » demandai-je.

« Mmm-hmm ». Ses mains remontèrent pour saisir mes cuisses et d'où je me tenais, je pouvais voir l'épais renflement de sa queue pressant contre son jean. « Dans cet avion, je ne pensais qu'à écarter ta culotte et te faire asseoir sur ma queue. Mais nue, c'est encore mieux ».

Je retenais un gémissement - qui aurait pu deviner que nous avions eu le même fantasme ? Je ne pouvais plus attendre. « Sais-tu ce que je voulais faire ? ».

« Montre-moi ». Ses paupières étaient lourdes de désir alors qu'il me regardait déboutonner son jean et baisser sa fermeture éclair. Il souleva ses hanches pour que je puisse suffisamment baisser son jean pour en extraire sa longue queue épaisse. Il attrapa un préservatif dans sa poche et le glissa avec ses doigts adroits.

Se penchant, je lui murmurais à l'oreille. « Je veux te chevaucher, cowboy ».

« Tu en as l'opportunité, bébé. Chevauche-moi sauvagement. Oui, comme ça ».

Posant un genou de chaque côté de ses hanches, je me positionnai au-dessus de sa queue bien raide, puis m'abaissai pour le prendre dans ma chatte d'un mouvement rapide. J'étais si mouillée de m'être ouverte à eux dans le camion, et le fait qu'il soit en moi si profondément, me firent presque perdre la respiration. Le grognement de Jack était grave et primitif et avant que je sache ce qui se passe, ses mains agrippèrent fermement mes hanches. Il prit le dessus, m'imposant son rythme avec sa queue bien fichée en moi.

Je n'avais jamais vu Jack perdre son sang-froid... mais j'adorais ça. Je tournai la tête pour m'assurer que Sam regardait. Effectivement, son regard noir était sur moi et ma chatte devint plus humide que jamais, sachant que ça l'excitait de me voir chevaucher son cousin. J'ai baissé mon regard vers son érection et j'ai léché mes lèvres.

Pas besoin d'en dire plus. « Est-ce que ton fantasme inclut deux hommes en même temps ? ».

Je hochais lentement la tête. « Qui veut un fantasme quand je peux avoir ce que je souhaite ? ».

Alors que Jack me baisait, Sam s'est rapproché, a enlevé mon chemisier et mon soutien-gorge, j'étais complètement nue.

Serrant les dents, je torturais la bite de Jack alors que Sam trouvait un préservatif et du lubrifiant, le mit sur sa queue avant de l'enduire généreusement de lubrifiant. Avec ses doigts lisses, il caressa mon petit trou alors que Jack se tint immobile. Bien que doux son contact était froid et lisse et je haletai.

« Merde, dépêche-toi, Sam. J'ai besoin de bouger ». La voix de Jack n'était rien de plus qu'un grognement.

Sam joua de son doigt, me préparant pour sa queue. Il serait plus gros que tous les plugs avec lesquels nous avions joué, mais je savais que ce serait bien mieux.

Les mains de Jack se resserrèrent sur mes hanches et il me souleva et me baissa, m'obligeant à m'enfoncer plus avant en lui pendant que Sam ajoutait de plus en plus de lubrifiant.

« C'est bon ? », demanda Jack. Le coin de sa bouche se releva, mais je pouvais dire qu'il avait du mal à se retenir. Les deux d'ailleurs avaient du mal à se retenir.

Je hochai la tête et léchai mes lèvres.

Le doigt de Sam se retira et je me sentis vide, même avec Jack si profondément en moi. Mais cela ne dura pas longtemps car déjà le sexe de Sam cherchait à entrer. Une main chaude se posa sur mon épaule.

« Respire, poupée. C'est ça, bonne fille ».

C'était dur de se détendre, mais je savais que c'était la seule façon de faire. Je levai mon regard vers celui de Jack, le tint alors que Sam s'enfonçait. De plus en plus jusqu'à ce que tout à coup son large gland fut dans mon cul. Je haletai à cause de la sensation intense que cela me procurât. D'être prise par eux deux.

« Putain de merde », murmurai-je en essayant de faire bouger mes hanches. C'était... wow. Fort. Intense.

J'entendais la respiration irrégulière de Sam alors qu'il glissait lentement de l'intérieur vers l'extérieur, et à chaque fois de plus en plus profondément. Les mains de Jack glissèrent le long de mon corps pour caresser mes seins, et pincer délicatement mes tétons.

« C'est trop », respirai-je.

« Chut», dit Jack. « Ferme les yeux. Ressens les choses ».

« Je suis là. Putain, poupée, tu es parfaite », dit Sam.

« Oui », murmurai-je. « Tout ça ? Nous ? C'est... bon sang, je n'ai jamais su que ça pouvait être comme ça ».

« Prête ? » demanda Jack.

Je hochai la tête, mais je savais qu'il parlait à Sam.

« Il est temps de te faire nôtre, poupée ».

Sam recula et Jack souleva ses hanches, me remplissant. Puis ils alternèrent, Jack se retirant et Sam glissant entièrement en moi. Ils continuèrent et je m'effondrait sur la poitrine de Jack. J'étais la tranche de jambon d'un sandwich Kane et c'était... incroyable. Coincée entre eux, tout ce que je pouvais faire était me laisser faire et espérer qu'ils prendraient soin de moi.

« Tout va bien, bébé ? » demanda Jack.

« Mmm », murmurai-je.

Mes yeux étaient fermés et je fic comme Jack me dit : ressentir. Comment ne pouvais-je pas ? J'étais si ouverte, si remplie, si... pleine. La sueur recouvrait ma peau, l'odeur sombre de la baise remplissait l'air. C'était trop. Les sentiments étaient très forts et je jouis, pleurant et les serrant tous les deux.

Jack s'enfonça une dernière fois, criant alors qu'il jouissait. Sam s'agrippa à mon épaule, sortit sa queue avant de replonger profondément. Lui aussi, jouit.

Même si j'avais voulu bouger, je n'aurais pas pu. Non pas parce que j'étais embrochée par deux queues, mais parce que l'orgasme avait été trop bon. Je ne savais plus si j'avais des os dans mon corps.

Plus tard, alors que nous étions tous vautrés sur le canapé en train de récupérer, nus (avions-nous besoin de vêtements, de toute façon ?) Ils me demandèrent si j'avais mangé. « Non, mais je n'ai pas faim. Je *me sens* sale, par contre ».

« Personne n'en a jamais douté », dit Sam en donnant une petite claque sur mon cul.

« Pas si sale que ça», ris-je. « Je n'ai pas eu le temps de prendre une douche après tout ce nettoyage ce matin. Et maintenant, ça ! ». Je montrais mon corps avec ma main. J'avais été utilisée et bien utilisée. J'étais moite et en sueur et le lubrifiant persistait dans les endroits qui étaient un peu douloureux. J'avais désespérément besoin d'une douche.

Heureusement pour moi, Jack avait une douche assez grande pour nous trois. J'étais physiquement épuisée après une longue journée de nettoyage, de baise et après avoir fait mes valises. Sans parler de l'épuisement émotionnel. Sam et Jack me traitaient comme une poupée inestimable, m'aidant dans la douche. Je me tenais juste là et les laissais me choyer - Sam devant et Jack dans le dos alors qu'ils me savonnaient et me frottaient le corps, massant mes muscles endoloris. Comment avais-je pu avoir envie de quitter tout cela ?

Une fois lavée et rincée, ils me conduisirent dans le lit king-size de Jack et m'installèrent sous les couvertures, nichés entre eux deux. Je dus m'endormir et me réveillais plus tard, alors que je sentais que quelqu'un me léchait la chatte.

Ils étaient tous deux éveillés et avaient pris sur eux de me réveiller agréablement et lentement. Les lèvres de Jack étaient sur mes seins, ses doigts pinçaient légèrement mes tétons. Ils ont dû entendre ma forte inspiration parce que j'ai entendu le rire bas de Sam qui provenait d'entre mes cuisses écartées où sa langue taquinait les lèvres de ma chatte, de manière si légère que cela pouvait s'assimiler à une forme de torture.

Il tira la langue pour lécher mon clitoris. « Tu en veux encore ? ».

Je répondis par un gémissement et Jack suça mon téton encore plus ardemment. Sam attendit jusqu'à ce que je le supplie de me donner ce que je voulais vraiment. Il enfonça sa queue dans ma chatte en feu, me remplissant comme il savait que je le voulais. Ses coups étaient terriblement lents et peu profonds, et je l'intimai de me prendre plus fort et plus vite.

« Tu veux que je te fasse jouir, poupée ? ».

Oui ! Bon Dieu, oui. J'en avais besoin.

« Tu veux que Jack t'aide ? ».

Je hochais la tête, ou du moins j'essayais de le faire, mais je finissais par me débattre en saisissant les fesses de Sam, le pressant de m'en donner encore plus.

« Très bien, ma chérie. Nous allons te donner ce dont tu as besoin. Ce soir ».

« Tous les soirs», ajouta Jack en me tenant les seins. « Tu es à nous, ma chérie ».

Et bien sûr, ils prirent soin de moi. Encore et encore. Plus tard, nous nous sommes endormis comme ça, moi nichée entre eux deux.

Exactement là où je voulais être.

OBTENEZ UN LIVRE GRATUIT !

ABONNEZ-VOUS À MA LISTE DE DIFFUSION POUR ÊTRE LE PREMIER À CONNAÎTRE LES NOUVEAUTÉS, LES LIVRES GRATUITS, LES PROMOTIONS ET AUTRES INFORMATIONS DE L'AUTEUR. ET OBTENEZ UN LIVRE GRATUIT LORS DE VOTRE INSCRIPTION !

livresromance.com

CONTACTER VANESSA VALE

Vous pouvez contacter Vanessa Vale via son site internet, sa page Facebook, son compte Instagram, et son profil Goodreads via les liens suivants :

Abonnez-vous à ma liste de lecteurs VIP français ici :
livresromance.com
Web :
https://vanessavaleauthor.com
Facebook :
https://www.facebook.com/vanessavaleauthor/
Instagram :
https://instagram.com/vanessa_vale_author
Goodreads :
https://www.goodreads.com/author/show/9835889.Vanessa_Vale

À PROPOS DE L'AUTEUR

Vanessa Vale vit aux États-Unis et elle est l'auteur de plus de 40 best-sellers romantiques et sexy, dont notamment sa populaire série de romans historiques Bridgewater et ses romances contemporaines érotiques mettant en vedette de mauvais garçons qui n'ont pas peur de dévoiler leurs sentiments. Quand elle n'écrit pas, Vanessa savoure la folie que constitue le fait d'élever deux garçons, tout en essayant de chercher à savoir combien de repas elle peut préparer avec une cocotte-minute et donne des cours de karaté. Même si elle n'est pas aussi experte en réseaux sociaux que ses enfants, elle aime interagir avec les lecteurs.